Y0-CDH-816

UNITÉ 1
RITES DE PASSAGE
Souvenirs d'enfance

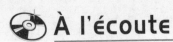

💿 À l'écoute

Associe la description de l'enfance au célèbre francophone de la liste:

A. l'auteure Gabrielle Roy	C. l'ancien premier ministre Jean Chrétien	E. le joueur de hockey Maurice Richard
B. la couturière Coco Chanel	D. l'artiste français Toulouse-Lautrec	F. la chanteuse Céline Dion

I. _____ 2. _____ 3. _____ 4. _____ 5. _____ 6. _____

💿 À l'écoute   LES VACANCES

A. Écoute les phrases suivantes et décide où est l'enfant qui parle. Mets la lettre qui convient.

A. dans une colonie de vacances	C. près d'un grand monument
B. dans une voiture	D. dans un zoo

I. _____ 2. _____ 3. _____ 4. _____ 5. _____ 6. _____ 7. _____ 8. _____

B. Écoute la description d'un voyage en famille et complète le tableau. Coche vrai, faux ou pas mentionné

# phrases	vrai	faux	pas mentionné
I. La famille allait tous les étés à un chalet au Québec.	☐	☐	☐
2. Le lac où on nageait était très froid.	☐	☐	☐
3. Le garçon avait du talent pour les sports d'hiver.	☐	☐	☐
4. Le petit frère n'est pas allé en croisière avec la famille.	☐	☐	☐
5. La mère a bien organisé les détails du voyage.	☐	☐	☐
6. Ils sont allés en croisière pour voir les beaux paysages.	☐	☐	☐
7. L'eau dans la baie n'était pas du tout calme.	☐	☐	☐
8. La famille est entrée dans le salon avant d'être mouillée par les vagues.	☐	☐	☐
9. Le garçon avait reçu un appareil-photo numérique pour son anniversaire.	☐	☐	☐
10. Les autres personnes qui s'étaient assises sur le sofa n'étaient pas très contentes.	☐	☐	☐
II. La mère savait que les enfants allaient probablement être malades.	☐	☐	☐

R.K. PUBLISHING / NON-REPRODUCIBLE

 **À l'écoute**

COURAGE!

Écoute les phrases suivantes basées sur le conte *Courage!*
Écris la lettre associée au personnage qui parle.

A. Le monsieur à la tête rouge	C. Nicolas	E. M. Rateau, le chef du camp
B. Le chef d'équipe, Gérard Lestouffe	D. Paulin	

I. _____   2. _____   3. _____   4. _____

5. _____   6. _____   7. _____   8. _____

Vocabulaire

Trouve un mot du conte qui correspond à chaque définition :
PAGES 4 ET 5

I.   une section d'un train européen _____

2.   quelque chose qu'on dit pour donner de l'esprit de corps à une équipe

_____

3.   de la nourriture qu'on apporte en voyage _____

4.   aller dire aux autorités que quelque chose va mal _____

5.   la condition d'une porte qui ne s'ouvre pas _____

6.   dire "merci" à quelqu'un _____

PAGES 5 ET 6

I.   où on dort dans un camp _____

2.   action de nager _____

3.   un vêtement qu'on porte pour nager _____

4.   un petit garçon _____

5.   l'action de frapper quelqu'un au visage _____

6.   quelque chose fait de fruits, qu'on met sur le pain _____

7.   ce qu'un homme porte pour une occasion formelle _____

Je comprends

A. Indique si la phrase est vraie ou fausse. Si elle est fausse, corrige-la.

1. _____ Nicolas avait un peu peur d'aller si loin sans ses parents.

2. _____ L'équipe de Nicolas a bien dormi pendant la nuit du voyage.

3. _____ On courait dans le train pour s'échapper du monsieur à la tête rouge.

4. _____ Les garçons n'ont chanté que deux chansons.

5. _____ Nicolas avait pensé qu'ils allaient vivre dans des maisons de bois.

6. _____ Le chef du camp a demandé que tout le monde crie et chante.

7. _____ Les membres de l'équipe L'Œil-de-Lynx se sont disputés au lieu de se mettre en slip.

8. _____ Paulin ne voulait pas prêter son slip à Nicolas.

9. _____ Nicolas a pu sortir avec les autres parce que Bertin lui avait prêté un slip.

10. _____ Le chef de l'équipe est allé nager avec eux.

B. Les auteurs de *Courage!* essaient de rendre leur portrait du petit Nicolas aussi réaliste que possible. Trouve des expressions, des situations ou des façons de parler qui créent un portrait réaliste de Nicolas.

Modèle
une expression : . . . . rigolo
une situation : . . . . on a eu une dispute au sujet du lit près de la porte
une façon de parler : . . . . . la répétition de "Si je suis un gamin! Si je suis un gamin!"

C. Il y a quelques mots ou expressions typiquement françaises, mais qui ne s'utilisent pas nécessairement dans les autres pays francophones. Associe les mots de la liste A à ceux de la liste B.

Liste A	Liste B
1. _____ la colo	a. la natation
2. _____ des biscottes	b. le garçon
3. _____ la S.N.C.F.	c. un coup
4. _____ la baignade	d. le camp
5. _____ le slip	e. s'était amusé
6. _____ chouette	f. le maillot de bain
7. _____ le type	g. des biscuits
8. _____ une baffe	h. la compagnie de trains
9. _____ avait bien rigolé	i. très sympa

R.K. PUBLISHING / NON-REPRODUCIBLE

L'IMPARFAIT

Complète les phrases suivantes.

1. On forme l'imparfait avec _____ (quelle personne/de quel temps et de quel mode?)

2. Pour le former, on enlève _____ et on le remplace avec _____, _____, _____, _____, _____, _____

3. Un exemple d'un verbe conjugué à l'imparfait est:

   infinitif: _____

   Je _____   Nous _____

   Tu _____   Vous _____

   Il /Elle/On _____   Ils/Elles _____

4. Le seul verbe irrégulier est _____; la bonne forme de l'imparfait de ce verbe est j'_____.

5. Quand utilise-t-on l'imparfait?

   a. _____

   b. _____

   c. _____

   d. _____

Je pratique

A. Mets les phrases à l'imparfait.

1. Quand nous _____ (être) petits, nous _____ (aller) très souvent à un parc d'amusement. Moi, je _____ (s'amuser) toujours très bien, mais ma sœur _____ (avoir) peur des hauteurs, et alors elle ne _____ (vouloir) pas monter sur la plupart des manèges.

2. Mon école _____ (se trouver) au beau milieu des champs des fermes locales. Alors, très souvent nous _____ (entendre) les vaches qui _____ (meugler) pendant qu'elles _____ (aller) de champ en champ en quête d'herbes à manger. J'_____ (apporter) toujours avec moi un mouchoir où je _____ (mettre) de l'eau de cologne pour m'aider à supporter les odeurs.

B. Nostalgie.
Décris à l'imparfait en 3 ou 4 phrases.

a) une personne que tu connaissais bien quand tu étais petit(e)

_____

_____

_____

b) l'école élémentaire où tu allais

_____

_____

_____

c) ton jouet favori

_____

_____

_____

LE PASSÉ COMPOSÉ

A. Complète les phrases suivantes.

I. Les deux parties du passé composé sont _____ et _____.

2. Quelle est la terminaison du participe passé?

un verbe en -er : _____

un verbe en -ir : _____

un verbe en -re : _____

3. Quels sont les deux auxiliaires au passé composé? _____ et _____

4. Donne 5 exemples de participes passés irréguliers au passé composé.

_____

_____

_____

_____

_____

R.K. PUBLISHING / NON-REPRODUCIBLE

5. L'auxiliaire *être*.
**Complète la liste des verbes
conjugués avec *être*.**

Exemple : devenir : *Je suis devenu(e)*

_____ : Tu _____

_____ : Il _____

_____ : Elle _____

_____ : On _____

_____ : Nous _____

_____ : Vous _____

_____ : Ils _____

_____ : Elles _____

_____ : Je _____

_____ : Tu _____

_____ : Il _____

_____ : Elle _____

_____ : Nous _____

_____ : Vous _____

_____ : Ils _____

6. Conjugue un verbe réfléchi au passé composé.

Exemple : Infinitif : _____

Je _____   Nous _____

Tu _____   Vous _____

Il _____   Ils _____

Elle _____   Elles _____

On _____

R.K. PUBLISHING / NON-REPRODUCIBLE

Je pratique...

A. Mets les verbes suivants au passé composé.

Exemple :

(faire) Ma sœur _____ un château de sable pendant les vacances.

Ma sœur **a fait** un château de sable pendant les vacances.

I. (aller) Mes amis et moi, _____ une fois au parc d'attractions "La Ronde".

2. (boire) Combien de jus d'orange _____-tu _____?

3. (s'amuser) Tous les enfants _____ pendant le voyage.

4. (naître) Quand _____-elle _____?

5. (s'endormir) Je _____ dans la voiture pendant que nous allions à l'aéroport.

6. (mettre) Où est-ce que vous _____ les jouets pour les enfants?

7. (perdre) J' _____ ma poupée favorite la semaine dernière.

8. (manger) Maman, elles _____ mes frites!

9. (tomber ; se blesser) Mon frère _____ et _____ .

IO. (suivre) Quels cours _____-vous _____ à l'école?

B. Raconte deux expériences de ton enfance, où l'une a bien fini et l'autre a mal fini.

- Écris entre 5 à 8 phrases pour chaque expérience.
- Utilise au moins six verbes au passé composé.

Modèle

Un jour, je suis allé à la piscine pour nager avec mes amis. Un orage a éclaté et la piscine s'est fermée. J'ai sauté sur ma bicyclette et je me suis mis en route. J'ai descendu la grande colline près de la piscine. Au fond de la colline, un éclair a frappé la route devant ma bicyclette. Je suis tombé et je me suis blessé au genou. J'ai dû marcher le reste de la route, un mouchoir au genou.

Incident I :

_____

_____

_____

_____

_____

_____

R.K. PUBLISHING / NON-REPRODUCIBLE

Incident II :

_____

_____

_____

_____

_____

LE PASSÉ COMPOSÉ ET L'IMPARFAIT

A. Quand utilise-t-on?

L'imparfait   _____

        _____

        _____

Le passé composé   _____

        _____

        _____

B. L'imparfait ou le passé composé?

1. C'est une série d'actions ou d'événements

_____

2. C'est une description

_____

3. C'est une action qui a interrompu une autre

_____

4. C'est une habitude

_____

C. Compose une phrase pour chaque circonstance mentionnée dans l'activité « B ».

1. _____

2. _____

3. _____

4. _____

D. L'imparfait ou le passé composé?
   Mets le verbe à la forme correcte.

1. (aller) Nous _____ tous les étés à un petit chalet près du lac.

2. (ne pas voir; être) Je _____ ce film. Comment_____-il?

3. (arriver; être; se parler) Quand la police _____, les deux voitures _____ à
   côté de la rue, et les chauffeurs _____.

4. (entrer; tomber; avoir; prendre; dire) Nous _____ dans un magasin de jouets, avec nos
   parents, quand un grand ours en peluche _____ devant ma sœur. Elle _____
   peur pendant quelques secondes, mais après elle _____ l'ours dans ses bras et
   _____, "Merci, Père Nöel, je l'adore."

5. (ne pas vouloir; avoir) Vous _____ aller à l'école quand vous _____
   six ans? Pourquoi?

6. (se promener; s'amuser) Tu _____ avec ton père et ton chien tous les jours et vous
   _____ beaucoup!

7. (dire; être; croire; être; sortir) Ma mère nous _____ toujours que nous _____
   les meilleurs enfants du monde et, comme nous la _____, nous
   _____ toujours très sages quand nous _____.

8. (recevoir; savoir; ne pas avoir; donner) Elle _____ beaucoup de cadeaux pour son
   anniversaire, mais elle _____ que tout le monde _____ la même
   chance qu'elle. Alors, elle en _____ à une organisation caritative.

Je mets en application

Quand tu avais 8 ans, tes parents ont gagné beaucoup d'argent.
Tu as pu choisir l'itinéraire de tes vacances.
   • Décris ces vacances imaginaires dans un paragraphe de 7 à 9 phrases.
   • Utilise au moins cinq verbes au passé composé et cinq verbes à l'imparfait.

Modèle
Nous sommes allés à Disneyworld. J'ai parlé à Goofy parce que je l'adorais. Ma mère s'est vite fatiguée.
Après quelque temps, nous sommes retournés à l'hôtel. À la piscine, je me suis bien amusé avec les
personnages de Disneyworld.

R.K. PUBLISHING / NON-REPRODUCIBLE

SAVIEZ-VOUS?   LA PROVENCE

A. Utilise l'article *La Provence* pour compléter l'exercice suivant.

1. la ville au Sud de la France où on peut voir beaucoup d'acteurs ou d'actrices _____
_____

2. le nom de la partie le plus au sud de la Provence _____

3. une ville touristique de la région _____

4. les raisons pour le grand nombre de touristes en Provence _____
_____
_____

5. un artiste qui a immortalisé le paysage _____

6. des produits naturels de la région (au moins trois)_____
_____
_____

7. l'influence la plus forte de la région_____

8. quelques problèmes de la région _____
_____
_____

9. ce que les touristes achètent très souvent _____

B. Cherche des sites touristiques en français qui donnent des informations sur la Provence.
   - Écris ici les adresses de TROIS de ces sites.
   - Pour chaque adresse, écris le nom d'une attraction touristique qui y est décrite et qui n'a pas été mentionnée dans le *Saviez-vous?*

1. adresse : _____
    site touristique : _____

2. adresse : _____
    site touristique : _____

3. adresse : _____
    site touristique : _____

LE CHÂTEAU DE MA MÈRE

A. Associe les mots de la liste A aux mots de la liste B.

Liste A	Liste B
1. ____ les crêtes	a. un arbre qu'on utilise quelquefois à Noël
2. ____ les rameaux	b. une sorte d'oiseau
3. ____ un pin	c. être couvert d'eau
4. ____ virevolte	d. une herbe aromatique
5. ____ une hirondelle	ε. les sommets des collines
6. ____ le thym	f. effacer
7. ____ la rentrée	g. les parties des arbres qui ont des feuilles
8. ____ supprimer	h. le jour où l'école recommence après les vacances
9. ____ un grondement	i. tourne
10. ____ se mouiller	j. un son qui indique le tonnerre ou un animal féroce

B. Marcel Pagnol est connu pour ses descriptions très vives de la nature et la richesse de son vocabulaire. Trouve dans le texte quatre mots ou expressions.

a) qui décrivent des sortes d'arbres

_____

_____

b) qui décrivent 4 sortes d'herbes aromatiques

_____

_____

c) qui évoquent des couleurs

_____

_____

d) qui décrivent un phénomène naturel (le temps qu'il fait)

_____

_____

R.K. PUBLISHING / NON-REPRODUCIBLE

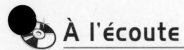

À l'écoute

Lili habite la région et il la connaît bien. Marcel est le visiteur qui la découvre.
Écoute les phrases et décide si c'est Lili ou Marcel qui parle.

	Lili	Marcel
1.	☐	☐
2.	☐	☐
3.	☐	☐
4.	☐	☐
5.	☐	☐
6.	☐	☐
7.	☐	☐
8.	☐	☐

J'approfondis

A. De quoi le jeune Marcel avait-il peur dans le récit?

_____

_____

_____

_____

_____

B. De quoi avais-tu peur quand tu étais jeune? Explique ta réaction.

_____

_____

_____

C. Dans le récit où voit-on que la peur et la joie existent en même temps?

_____

_____

R.K. PUBLISHING / NON-REPRODUCIBLE

D. Trouve dans le texte des mots ou des expressions qui évoquent fortement des couleurs ou des sons. Pour chaque mot ou expression, explique ce qui est décrit.
Exemple :
"un immense rideau violet, qu'un éclair rouge déchira brusquement"
ce qui est décrit: **le ciel pendant l'orage**

_____

_____

_____

_____

_____

E. Trouve des métaphores et des personnifications pour décrire l'orage.
Exemple :
"la foudre sanglante et hurlante frappa la barre tout près de nous" (p. 19)

I. _____

2. _____

3. _____

4. _____

5. _____

F. Cherche les mots suivants aux pages 16-19.
Explique ce qu'ils veulent dire.

I.   escalader _____

2.   une crevasse _____

3.   une grotte _____

4.   un porte-voix _____

5.   la barre _____

6.   saccadé _____

7.   un crépitement _____

8.   jures _____

9.   des gendarmes _____

10. une lueur _____

II. des stalactites _____

12. à l'abri _____

R.K. PUBLISHING / NON-REPRODUCIBLE

Je comprends

A. Comment est-ce qu'on peut voir que Lili et Marcel sont de très bons amis? Explique en utilisant des détails de l'extrait.

_____

_____

_____

_____

_____

B. Quelles sont les nouvelles expériences que Marcel a découvertes pendant cette journée? Qu'a-t-il ressenti?

_____

_____

_____

_____

LE PLUS-QUE-PARFAIT

Complète le schéma suivant.

A. Comment le plus-que-parfait se forme-t-il?

_____ + _____

Exemples :

manger : j' _____ _____

aller : tu _____ _____

sortir : elle _____ _____

prendre : il _____ _____

attendre : nous _____ _____

boire : vous _____ _____

se préparer : ils _____ _____

choisir : elles _____ _____

B. Quand utilise-t-on le plus-que-parfait?

i. _____

ii. _____

C. Écris sur la ligne de temps les régions qui représentent l'imparfait, le passé composé et le plus-que-parfait.

avant _____

après _____

pendant _____

R.K. PUBLISHING / NON-REPRODUCIBLE

A. Mets les phrases suivantes au plus-que-parfait.

I. (se maquiller) Elle _____ avant de partir.

2. (prendre) Si seulement tu n'_____ pas _____ mon argent de poche!

3. (s'asseoir) Nous _____ dans les mauvais sièges.

4. (apprendre) J'_____ toutes mes leçons très vite.

5. (mourir) Mon grand-père _____ cinq ans avant ma naissance.

6. (acheter) Est-ce que vous leur _____ des cadeaux?

7. (arriver) Le plombier _____ déjà _____ quand mon père est descendu pour regarder le problème.

8. (voir) Mes petits frères _____ ce film cinq fois avant la party.

9. (perdre) Les Leafs _____ le match, mais les fans n'étaient pas découragés.

IO. (rentrer) Pourquoi _____-vous _____ avant l'heure prévue?

B. À l'écoute
Écoute la description de l'enfance de cette jeune fille.
Coche la colonne appropriée pour chacune de ses expériences.

À l'âge de 10 ans, elle allait...	l'avait déjà fait	ne l'avait pas encore fait
I. voyager seule	☐	☐
2. garder des enfants	☐	☐
3. apprendre à nager	☐	☐
4. apprendre à faire du ski	☐	☐
5. cuisiner tout le dîner	☐	☐
6. nettoyer la maison seule	☐	☐
7. apprendre à lire	☐	☐
8. manger de la nourriture québécoise	☐	☐

C. Complète les phrases conditionnelles suivantes avec une idée logique et basée sur l'extrait du *Château de Ma Mère*.

Exemple : Marcel ne serait pas allé explorer le paysage sans son père si <u>Lili n'était pas allé avec lui</u>.

I. Marcel n'aurait pas vu l'orage si _____.

2. Marcel ne se serait pas rendu compte de la proximité de la rentrée si

_____

3. Les lapins n'auraient pas couru si vite si _____.

4. Lili n'aurait pas révélé le secret de la grotte et du tunnel si

_____.

5. Lili et Marcel auraient été en danger si _____.

6. Marcel aurait peut-être été attaqué par l'oiseau si

_____.

LA CONCORDANCE DES TEMPS

Avant de faire les exercices suivants, revois les explications des usages des trois temps du passé que tu as étudiés : *l'imparfait, le passé composé et le plus-que-parfait.*

A. À l'écoute. Écoute les phrases suivantes. Est-ce que le verbe est au passé composé, à l'imparfait ou au plus-que-parfait? Coche le temps approprié.

	Passé composé	Imparfait	Plus-que-parfait
I.	☐	☐	☐
2.	☐	☐	☐
3.	☐	☐	☐
4.	☐	☐	☐
5.	☐	☐	☐
6.	☐	☐	☐
7.	☐	☐	☐
8.	☐	☐	☐

R.K. PUBLISHING / NON-REPRODUCIBLE

B. Complète les phrases suivantes avec la forme correcte du verbe. Pour chaque verbe, choisis le temps logique : l'imparfait, le passé composé ou le plus-que-parfait.

I.   (être, aller, s'amuser, oublier) Quand j'_____ jeune, je _____ avec ma famille tous les janviers à Mont-Tremblant, mais je ne _____ pas _____ la dernière fois, parce que j'_____ mes skis.

2.   (savoir, arriver, chercher) Nous ne _____ pas que le train _____ en retard, et nous _____ nos cousins partout.

3.   (avoir, faire) Elle _____ de grandes ambitions, mais elle n'_____ jamais _____ les choses nécessaires pour réussir.

4.   (rentrer, trouver, entrer, voler) Ils _____ à la maison assez tard après le voyage et ils _____ la porte ouverte et une fenêtre cassée. Quelqu'un _____ dans la maison et _____ des bijoux, un ordinateur et la télé.

5.   (mettre, nager, se déchirer, pleurer) Je me souviens de ce jour-là. Le matin, tu _____ ton costume de bain favori, mais, pendant que tu _____, il _____. Comme tu _____!

7.   (gagner, avoir, pouvoir) Puisque vous _____ la loterie, vous _____ de la chance pendant ces vacances-là. Vous _____ rester dans les meilleurs hôtels et manger dans des restaurants de luxe.

8.   (devoir, prendre, réserver) Pour arriver à l'aéroport à l'heure, nous _____ nous lever à cinq heures. Puis nous _____ un taxi que mon père _____ la veille.

Je mets en application

A. Choisis un acteur ou une actrice très célèbre. Imagine le moment ou il/elle a décidé d'être acteur ou actrice. Quelle était son inspiration?

- Décris cette personne (son nom, ses films ou ses émissions, les prix qu'il ou elle a gagnés) et ce qui l'a inspiré(e) dans cette voie.
- Écris un paragraphe de 75-125 mots.
- Utilise l'imparfait, le passé composé et le plus-que-parfait.

Voici un organigramme pour t'aider.

Nom : _____

Films ou émissions : _____

_____

Prix : _____

L'incident : _____

_____

_____

R.K. PUBLISHING / NON-REPRODUCIBLE

B. Quelle est ton opinion?
Écris une brève explication de ton opinion sur chacune des idées suivantes.

a. Les enfants devraient voyager sans leurs parents pour devenir indépendants.

_____

_____

_____

b. Les camps d'été ou les colonies sont de très bonnes expériences pour les enfants.

_____

_____

_____

c. La rentrée à l'école est parfois un événement triste pour les enfants.

_____

_____

_____

Tu veux de l'aide?

Utilise les expressions suivantes.

je crois que	je suis d'accord
je pense que	je ne suis pas d'accord
À mon avis	je ne crois pas que*
D'après moi	je ne pense pas que*

* expressions suivies du subjonctif

Tâche riche I

Organise tes idées!

A. Le lieu

_____

La description du lieu

_____

_____

_____

_____

B. L'événement principal

_____

Les étapes : Ce que tu as fait.

_____

_____

_____

_____

_____

_____

_____

Ce que tu avais fait auparavant.

_____

_____

_____

C. La leçon que tu as apprise.

_____

_____

Ce que tu aurais pu faire.

i. Si _____, je _____

ii. Si _____, je _____

R.K. PUBLISHING / NON-REPRODUCIBLE

Le subjonctif

Comment forme-t-on le subjonctif?
Complète l'exercice suivant.

On commence avec la _____ personne du _____ du _____
(Quel temps du verbe?)

On enlève les lettres _____ de la terminaison.

On ajoute les terminaisons suivantes:

(que je) _____ (que nous) _____

(que tu) _____ (que vous) _____

(qu'il/elle/on) _____ (qu'ils/elles) _____

Je pratique...

A. Mets le verbe entre parenthèses au subjonctif.

Il faut que/qu' je _____ tôt. (se lever)

tu _____ avec lui. (sortir)

il _____ un thème. (choisir)

elle _____ des leçons. (prendre)

on _____ des solutions. (chercher)

nous _____ le projet. (finir)

vous _____ avant minuit. (s'endormir)

ils _____ leurs livres. (rendre)

elles _____ un dialogue. (préparer)

R.K. PUBLISHING / NON-REPRODUCIBLE

B. Mets ces verbes irréguliers au subjonctif.

faire :   que je   _____

être :   que tu   _____

avoir :   qu'il, elle, on _____

pouvoir :   que nous   _____

vouloir :   que vous   _____

aller :   qu'ils, elles   _____

vouloir :   que j'   _____

savoir :   que tu   _____

prendre :   qu'il, elle, on _____

venir :   que nous   _____

avoir :   que vous   _____

devoir :   qu'ils , elles   _____

Attention !

Quelques verbes irréguliers au subjonctif ont deux radicaux. Les pronoms sujets _____ et _____ ont un radical différent dans certains verbes.

Je pratique...

Mets les verbes suivants au subjonctif.

I.   (prendre) Nous préférons que tu ne _____ pas de taxis, ils sont si coûteux.

2.   (voyager) Il faut que je _____ seul à Paris et j'en ai un peu peur.

3.   (se réveiller) Papa préfère que nous _____ à 7h15.

4.   (boire) Il ne faut pas que tu _____ trop de boissons gazeuses dans l'avion.

5.   (se battre) On ne veut pas que les enfants _____ en classe.

6.   (être) Il faut qu'ils _____ prêts immédiatement après le petit déjeuner.

7.   (faire) Je veux que tu _____ ton lit avant de partir.

8.   (aller) Il est nécessaire que nous _____ à Saint-Donat avec lui.

9.   (pouvoir) Nous voulons que les enfants _____ s'amuser dans la colo.

IO. (avoir) Il faut qu'elle _____ le temps de finir ses devoirs.

R.K. PUBLISHING / NON-REPRODUCIBLE

Les conditions nécessaires pour le subjonctif :

1. Un verbe au subjonctif est toujours précédé du mot _____.

2. Beaucoup d'expressions impersonnelles (comme *il faut que*) exigent le subjonctif.
    Donne quelques exemples (regarde les exercices ci-dessous)

    _____

    _____

    _____

3. Pourquoi utilise-t-on le subjonctif? _____

4. On n'utilise pas toujours le subjonctif avec *que* plus un autre verbe.
    Regarde les deux expressions *Je doute que* et *Je suis certain que*.
    Laquelle exige le subjonctif? Pourquoi?

    _____

    _____

    Quels temps de verbes sont possibles après l'autre expression?

    _____

    Écris une phrase pour chaque expression. Attention au mode.

    i. _____

    ii. _____

À l'écoute

A. **Est-ce que la phrase que tu entends est au subjonctif?**
    Coche oui ou non.

	Oui	Non
1.	☐	☐
2.	☐	☐
3.	☐	☐
4.	☐	☐
5.	☐	☐
6.	☐	☐
7.	☐	☐
8.	☐	☐

R.K. PUBLISHING / NON-REPRODUCIBLE

À l'écoute

B. Écoute les phrases et complète-les avec le verbe que tu entends.
Les phrases sont-elles au subjonctif?

I.   Je doute que tu _____ compléter tout le travail.

2.   Croyez-vous que celui-ci _____ une option acceptable?

3.   Il faut que nous _____ une profession ou un métier.

4.   Il est sûr que ces enfants _____ le talent nécessaire pour réussir.

5.   Je suis certaine que cet enfant _____ vite et que tu _____ travailler pendant qu'il dort.

6.   Elle ne veut pas que vous _____ le concert.

7.   Es-tu certain qu'elle _____ à l'école aujourd'hui?

8.   Nous avons pensé qu'ils _____ commander quelque chose de différent.

Je pratique...

Écris les verbes au subjonctif ou à l'indicatif selon le cas.

Exemple :

(aller) Je suis certaine que je vais devenir actrice. (indicatif)

(avoir) Nous doutons qu'elle en ait le talent nécessaire. (subjonctif)

I.   (pouvoir) On est sûr que vous _____ améliorer votre vie.

2.   (savoir) Crois-tu qu'ils _____ quoi faire pour réussir?

3.   (revenir) Il est nécessaire que je _____ à mes études.

4.   (vouloir) Le professeur sait que tu ne _____ pas travailler.

5.   (avoir) Nous sommes certains que cette fille _____ une carrière brillante.

6.   (se raser) Maman ne veut pas que son petit garçon _____ la tête.

7.   (aller) Oui, je pense que nous _____ en Provence cet été.

8.   (s'habiller) Est-ce que vous pensez qu'ils _____ en rouge?

9.   (venir) Je doute qu'ils _____ à notre fête.

IO. (faire) Je suis sûr que vous _____ de votre mieux.

R.K. PUBLISHING / NON-REPRODUCIBLE

LA RELIGIEUSE QUI RETOURNA EN IRLANDE   par Roch Carrier
Je comprends...

Première partie

A. Écoute l'histoire de Roch Carrier et sa première année à l'école et complète les informations suivantes.

a. la nouvelle importante que Roch a annoncée à ses parents

_____

b. le nom de sa maîtresse à l'école _____

c. le problème avec la lecture de Roch _____

_____

d. Comment Sœur Brigitte était-elle différente des autres gens du village?

i. _____

ii. _____

iii. _____

e. la nationalité de Sœur Brigitte _____

f. son pays d'origine _____

B. Écoute la deuxième partie de l'histoire et complète les informations suivantes.

a. pourquoi Sœur Brigitte était venue au village de Roch : _____

_____

_____

b. comment Roch a compris qu'elle était vieille : _____

_____

_____

c. ce dont elle ne voulait pas parler : _____

d. comment nous savons que son pays natal lui manquait beaucoup : _____

_____

_____

e. ce que Sœur Brigitte avait perdu après les vacances de Noël : _____

_____

f. ce que Sœur Brigitte a fait pendant la tempête : _____

_____

g. ce qu'elle a dit quand les hommes du village l'ont trouvée : _____

_____

R.K. PUBLISHING / NON-REPRODUCIBLE

C. Qui parle? Écris la lettre de la personne logique.

| A. Roch | B. Sœur Brigitte | C. les parents de Roch | D. les habitants du village |

1. _____   2. _____   3. _____   4. _____

5. _____   6. _____   7. _____   8. _____

LE SUBJONCTIF – 2ᴇ partie

Trouve trois expressions suivies du subjonctif. Écris des phrases complètes au subjonctif avec les expressions que tu as choisies.

Exemple :

1. pour exprimer la volonté :

    a. <u>désirer que,</u> _____, _____

    b. Nos parents désirent que nous réussissions à l'école.

2. pour exprimer les sentiments

    a. _____, _____, _____

    b. _____

    _____

    _____

3. pour exprimer le souhait

    a. _____, _____, _____

    b. _____

    _____

    _____

4. pour exprimer l'ordre

    a. _____, _____, _____

    b. _____

    _____

    _____

5. pour exprimer la permission

    a. _____, _____, _____

    b. _____

    _____

    _____

R.K. PUBLISHING / NON-REPRODUCIBLE

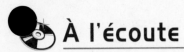

À l'écoute

Pourquoi a-t-on utilisé le subjonctif? Coche la catégorie correcte.

#	volonté	sentiment	ordre	permission
1.				
2.				
3.				
4.				
5.				
6.				
7.				
8.				

Je pratique...

A. Complète la phrase. N'oublie pas d'utiliser le subjonctif.

Exemple :
Nous avons peur que **nos enfants ne réussissent pas**.

1. Mes parents exigent que _____

2. Je suis très heureux/heureuse que _____

3. Il y a eu un accident. La police exige que _____

4. Pauvre René! Sa mère défend absolument qu'il _____

5. J'aimerais mieux que mes amis ne _____

6. C'est dommage que nous ne _____

7. Pour la fête de ma mère, Papa propose que _____

8. Je suis vexé/vexée que _____

9. Pour améliorer tes notes, je suggère que _____

10. Élise est très fière que sa sœur _____

R.K. PUBLISHING / NON-REPRODUCIBLE

B. **Dans chacune des situations suivantes, fais trois ou quatre phrases pour exprimer tes réactions et les réactions des autres personnes. Utilise des expressions suivies du subjonctif.**

Exemple : Ton petit frère a gagné un prix à l'école

Je suis très content que tu sois si travailleur.

Son professeur propose qu'il aille à une conférence spéciale.

Son meilleur ami est ravi qu'il puisse l'accompagner à cette conférence.

I. Ton père a gagné la loterie.

_____

_____

_____

2. Il pleut. Tu ne peux pas jouer au baseball.

_____

_____

_____

3. Un voleur est entré dans ta maison. Il a volé un ordinateur.

_____

_____

_____

4. Tes parents proposent que toute la famille aille au Mexique pour les vacances.

_____

_____

_____

5. Tu t'es disputé avec ton meilleur ami.

_____

_____

_____

R.K. PUBLISHING / NON-REPRODUCIBLE

C. À l'écoute. Associe la phrase que tu entends à une phrase de la liste ci-dessous, pour former une conversation logique.

A. que Soeur Brigitte soit la professeure de leurs enfants.	C. ses parents soient heureux de sa lecture.	E. Sœur Brigitte soit perdue.
B. le Seigneur la ramène en Irlande.	D. que leur fils lise avec un accent anglais.	F. Roch lui parle de son passé
		G. qu'elle enseigne des enfants au Québec.

1. _____ 2. _____ 3. _____ 4. _____ 5. _____ 6. _____ 7. _____

D. Tu es un(e) enfant la veille de ta première journée d'école.
- Quels sentiments éprouves-tu?
- Que cherches-tu?
- De quoi as-tu peur?
- Que veux-tu éviter de cette première expérience à l'école?

Écris une composition de cinq à huit phrases.
Utilise le subjonctif avec des verbes de volonté, de sentiment, de souhait, d'ordre et de permission.

_____

_____

_____

_____

_____

_____

_____

_____

_____

_____

_____

_____

_____

_____

 **À l'écoute**   # QUAND J'ÉTAIS PETIT

A. Écoute les enfants parler et coche la catégorie qui correspond à leurs commentaires.
Quelle question leur a-t-on posée?

#	Qu'est-ce qu'une belle vie?	De quoi as-tu peur?	As-tu hâte d'être grand(e)?	Te sens-tu parfois seul(e)?
1.				
2.				
3.				
4.				
5.				
6.				
7.				
8.				

B. Décide si les phrases que tu entends sont vraies ou fausses, d'après les opinions
exprimées dans l'article.

1. _____ 2. _____ 3. _____ 4. _____ 5. _____ 6. _____ 7. _____ 8. _____

Je comprends...   QUAND J'ÉTAIS PETIT

A. Fais une liste de huit problèmes ou difficultés que les enfants de l'article rencontrent
dans leurs vies.

_____

_____

_____

_____

B. Fais une liste de huit choses qui les rendent heureux.

_____

_____

_____

_____

R.K. PUBLISHING / NON-REPRODUCIBLE

Je mets en application

A. Quelles questions voudrais-tu poser à des enfants de 6 à 12 ans? Fais une entrevue avec un groupe d'enfants. Écris 5 questions que tu aimerais leur poser et les réponses que tu crois qu'ils donneraient.

D'abord, invente un profil.

le nom et l'âge, le sexe de l'enfant

_____

_____

_____

Q. I. _____

R. I. _____

Q. 2. _____

R. 2. _____

Q. 3. _____

R. 3. _____

Q. 4. _____

R. 4. _____

Q. 5. _____

R. 5. _____

R.K. PUBLISHING / NON-REPRODUCIBLE

B. Maintenant, fais une entrevue avec un ou deux vrais enfants pour voir si tu as prédit correctement leurs réponses.

le nom et l'âge, le sexe de l'enfant

_____

_____

_____

Q. I. _____

R. I. _____

Q. 2. _____

R. 2. _____

Q. 3. _____

R. 3. _____

Q. 4. _____

R. 4. _____

Q. 5. _____

R. 5. _____

Comment étaient tes prédictions? _____

C. Dans cet article les enfants utilisent des mots et des expressions typiques québécoises. Associe les expressions suivantes de la liste « A » à leurs équivalents en français standard de la liste « B ».

A

_____ I. plein de

_____ 2. super (gâtées)

_____ 3. (j'ai trouvé ça) dur

_____ 4. plate

_____ 5. tannant

_____ 6. la chicane

_____ 7. ma face

_____ 8. ça paye pas

B

a. difficile

b. le salaire n'est pas bon

c. extrêmement

d. mon visage

ε. monotone

f. beaucoup de

g. ennuyant

h. quand on a des disputes

R.K. PUBLISHING / NON-REPRODUCIBLE

LE SUBJONCTIF ET L'INDICATIF

A. Complète par la bonne forme du subjonctif ou de l'infinitif.

Exemple : (aller) Je voulais tellement y *aller*. (le sujet est le même pour les deux verbes)

(aller) Je veux que tu y *ailles*. (il y a deux sujets différents)

1. (devenir) Nous aimerions _____ scientifiques.

2. (être) Elle a peur que sa mère _____ malade.

3. (recevoir) Merci à tous! Je suis ravie de _____ ce prix.

4. (déranger) Ils ne veulent pas _____ leurs parents.

5. (s'amuser) Papa, nous sommes très contents que vous _____ à la fête.

6. (avoir) Ses parents exigent qu'il _____ de bonnes notes.

7. (pouvoir) Est-ce que vous êtes fiers de _____ acheter tout ça pour vos enfants?

8. (faire) Ma mère demande que je _____ mon lit tous les jours.

9. (venir) Je préfère ne pas _____ avec toi.

10. (se coucher) Je suggère que tu _____ avant minuit.

B. Mets les phrases au subjonctif avec le pronom sujet entre parenthèses.

Exemple : Je veux être heureux. (elle)

Je veux qu'elle soit heureuse.

1. André est triste de ne pas venir avec nous. (tu)

    _____

2. On veut avoir beaucoup de chance. (les jeunes)

    _____

3. J'ai peur de perdre mon argent. (la banque)

    _____

4. Les enfants aimeraient mieux suivre des cours de guitare. (leurs amis)

    _____

5. Le gouvernement propose avoir un site Internet pour les questions de santé. (nous)

    _____

6. Elle est désolée de ne pas pouvoir venir. (vous)

    _____

R.K. PUBLISHING / NON-REPRODUCIBLE

Je mets en application

A. Écris cinq choses que tu veux/aimerais/désires/préfères pour toi-même.
N'oublie pas d'utiliser l'infinitif.

Exemple : Je veux devenir psychologue.

1. _____

2. _____

3. _____

4. _____

5. _____

B. Écris cinq choses que tu veux/aimerais/désires/préfères pour les autres personnes.
N'oublie pas d'utiliser le subjonctif.

Exemple : Je préfère que mes amis soient plus calmes.

1. _____

2. _____

3. _____

4. _____

5. _____

R.K. PUBLISHING / NON-REPRODUCIBLE

Je mets en application

Hockey

A. Cette chanson est en *joual*. C'est un dialecte québécois qui est différent en vocabulaire et en prononciation du français standard.

Dans les années soixante, « parler joual » est devenu très populaire pour les jeunes Québécois. L'écrivain célèbre, Michel Tremblay, a employé beaucoup de joual dans ces romans et dans ses pièces de théâtre.

Trouve dans les paroles de la chanson les mots en joual qui sont les synonymes des mots suivants en français standard :

1. je suis _____

2. puis _____

3. à cette heure (maintenant) _____

4. dans les _____

5. les garçons _____

6. tous les _____

7. manger le dîner _____

8. taquiner _____

9. quitté _____

10. ce n'était pas _____

B. Complète les phrases suivantes comme si tu étais le joueur de hockey dans la chanson. Utilise le mode correct : le subjonctif, l'indicatif ou l'infinitif.

1. Je ne veux pas que mes enfants _____

2. Quand j'étais jeune, je rêvais de _____

3. Maintenant, il faut que je _____

4. J'aimerais que tout le monde _____

5. Les spectateurs exigent que nous _____

6. Je voudrais dire à ma femme que je suis désolé _____

7. Je conseille à tous les jeunes qu'ils _____

8. Ma famille accepte que je _____

9. Ma vie a changé parce que _____

10. La plus grande difficulté pour ma famille est que _____

11. Je pense que le hockey _____

12. Je ne jouais pas souvent parce que _____

R.K. PUBLISHING / NON-REPRODUCIBLE

C. Fais des recherches sur Internet ou dans le centre de ressources pour trouver un joueur célèbre des Canadiens de Montréal. Puis, complète le tableau suivant.

Son nom _____

Les plus grands succès de sa carrière.

_____
_____
_____
_____
_____

Des problèmes auxquels il a dû faire face.

_____
_____
_____
_____
_____

Compare sa carrière à celle du joueur dans la chanson.
Lequel, d'après toi, a eu une meilleure vie? Pourquoi?

_____
_____
_____
_____

R.K. PUBLISHING / NON-REPRODUCIBLE

TACHE RICHE II

A. Utilise le plan ci-dessous pour t'aider.

I. la personne que tu as choisie _____

2. l'événement clé de sa vie

_____
_____
_____
_____

3. les effets de cet événement sur sa vie

_____
_____
_____
_____

B. Fais un plan pour les détails que tu vas mettre dans chaque paragraphe.

Paragraphe 1 _____
_____
_____

Paragraphe 2 _____
_____
_____

Paragraphe 3 _____
_____
_____

Paragraphe 4 (si nécessaire)_____
_____
_____

Tu veux de l'aide?

- Utilise des mots ou des expressions comme : *puis, ensuite, après cela, premièrement, néanmoins.*
- Cherche d'autres expressions dans le dictionnaire.

R.K. PUBLISHING / NON-REPRODUCIBLE

SAVIEZ-VOUS?

LE NIGER

A. Utilise l'article *Le Niger* pour compléter l'exercice suivant.

1. situation géographique du Niger _____

2. sa capitale _____

3. sa langue officielle _____

4. le nom du désert _____

5. la base de son économie _____

6. deux causes de crises récentes _____

7. autrefois, colonie de _____

8. le nom de l'empire nigérien du 15ᵉ siècle _____

9. événement clé en 2005 _____

10. les problèmes actuels _____

B. Vrai ou Faux?

1. _____ Au Niger, on parle français.

2. _____ Les Nigériens vendent des tissus artistiques aux touristes.

3. _____ La pluie ne tombe pas très souvent dans ce pays.

4. _____ L'économie dépend de ressources naturelles.

5. _____ Le Niger peut vendre son uranium pour beaucoup d'argent, mais il a des problèmes de distribution.

6. _____ Avant l'indépendance, rien de très important ne s'est passé au Niger.

7. _____ M. Diori est le président du Niger.

8. _____ Il a fait une grande contribution à la culture francophone.

9. _____ Le Niger était récemment l'hôte des Jeux olympiques.

10. _____ Le gouvernement est très instable en ce moment.

R.K. PUBLISHING / NON-REPRODUCIBLE

L'amour d'Aïssatou

A. VOCABULAIRE
Première partie. Explique les mots suivants.
Utilise un dictionnaire ou Internet, si nécessaire.

1. haoussa _____

2. une Peule _____

3. un notable _____

4. un Touareg _____

5. scolariser _____

6. chuchoter _____

7. un fonctionnaire _____

8. effrayée _____

9. la tornade _____

10. la nouveauté _____

B. Associe les mots ou les expressions à leurs définitions.

MOTS/EXPRESSIONS	DÉFINITIONS
1. _____ à l'affût de	A. un chapeau religieux décoré
2. _____ un séjour	B. sérieusement
3. _____ une calotte brodée	C. un animal utilisé pour le transport en Afrique
4. _____ un chameau	D. ne rien dire
5. _____ une épouse	E. état de celui qui est marié à plusieurs femmes.
6. _____ la paille de mil	F. attendant le moment favorable
7. _____ solennellement	G. renvoyé selon la coutume
8. _____ répudié	H. donnait
9. _____ se taire	I. la période de temps où on reste dans un lieu
10. _____ conférait	J. une femme mariée
11. _____ la polygamie	K. ce qui reste quand on a pris les graines

Je mets en application

Imagine que tu es Balkissa. Écris une lettre à une autre femme où tu expliques ce qui s'est passé dans le village après le 3 août, ainsi que dans ta vie personnelle.

- Utilise beaucoup de détails de la lecture. N'oublie pas que Balkissa est forte et déterminée.
- Écris entre 7 à 10 phrases.

Je comprends...

A. Complète l'exercice avec des mots du texte.

I.   deux vêtements africains _____

2.   quatre officiels du gouvernement _____
_____

3.   deux enfants qui sont allés à l'école en 1960 _____

4.   quatre adjectifs qui décrivent le caractère de Balkissa _____
_____
_____

5.   trois adjectifs qui décrivent le caractère de Fouréra _____

6.   la position de Fouréra dans la famille _____

À l'écoute

Écoute les phrases suivantes et associe-les à la personne de la liste qui les a dites.

#	Aïssatou	Alirou et Sounmaïla	Balkissa	le chef	Brahim	Fouréra
I.						
2.						
3.						
4.						
5.						
6.						
7.						
8.						
9.						
I0.						

R.K. PUBLISHING / NON-REPRODUCIBLE

Je comprends...

A. Écris une liste des évenements majeurs dans la vie de la famille d'Aïssatou dans les années 1960-61.

_____

_____

_____

_____

_____

B. Vrai ou Faux? Utilise un dictionnaire pour t'aider.

1. _____ Un instituteur est un professeur d'école secondaire.

2. _____ L'argile est une sorte d'arbre.

3. _____ Un débutant est quelqu'un qui vient de commencer dans une classe ou une profession.

4. _____ Si tu es intimidé(e), tu as un peu peur.

5. _____ Une personne qui est vêtue a un caractère très fort.

6. _____ Si on conserve quelque chose, on la garde.

7. _____ Une fausse couche est une sorte de petit sofa, fait à la main, et décoré.

8. _____ Si tu as persévéré, tu as continué.

9. _____ Si tu te lasses de quelque chose, tu en es fatigué(e).

10. _____ Une personne rétractée est quelqu'un qui ne veut jamais être seul.

11. _____ Un rire acide est un rire sarcastique.

12. _____ Si on se trompe, on joue d'un instrument de musique.

13. _____ L'élan est une émotion de tristesse et de déception.

14. _____ Une concession est une sorte de magasin.

15. _____ La récréation, c'est les vacances.

R.K. PUBLISHING / NON-REPRODUCIBLE

C. Trouve dans l'extrait un synonyme des mots suivants.

I. un professeur _____

2. alla avec lui _____

3. tant de _____

4. la route _____

5. allant doucement, sans bruit _____

6. a pris avantage de _____

7. enseignée _____

8. défendue _____

9. (en) confusion complète _____

10. qui aime se faire remarquer _____

À l'écoute   Le passé du subjonctif

Complète les phrases avec les mots que tu entends.
Attention aux temps des verbes!

Mes parents sont très contents que mes cousins _____ de Suisse et que je leur

_____ ma chambre. Moi, je suis un peu surpris qu'ils n'_____ pas _____

d'aller à un hôtel, trois ados dans une chambre, c'est trop. Mais je suis très soulagé que tu

m'_____ à rester avec toi pendant la fin de semaine! Je _____ faire la

grasse matinée un peu, parce que je suis sûr que mes cousins _____ très tôt pour

accompagner mes parents en ville. Moi, je ne crois pas que je _____ visiter des sites touristiques

pendant toute la journée. À propos, es-tu fâché que je les _____ à aller au

club pour danser? Je regrette que nous ne t'_____ pas _____ avant de faire nos plans,

mais je croyais que, puisque tu _____ tellement danser, tu _____ d'accord.

R.K. PUBLISHING / NON-REPRODUCIBLE

Complète les informations suivantes :

A. On forme le passé du subjonctif avec :

_____ et _____

B. On utilise le passé du subjonctif pour exprimer :

_____

_____

C. Donne des exemples de l'usage du passé du subjonctif en complétant les phrases suivantes :

1. Je regrette que _____

2. Mes parents sont contents que _____

3. Mes amis sont fâchés que _____

4. Je suis déçu(e) que _____

5. Je suis ravi(e) que _____

D. Complète les phrases suivantes avec des exemples tirés de l'extrait *L'amour d'Aïssatou*. Utilise le passé du subjonctif :

1. Aïssatou est triste que _____

2. Balkissa est contente que _____

3. Le chef est heureux que _____

4. Brahim est satisfait que _____

5. Fouréra n'est pas heureuse que _____

R.K. PUBLISHING / NON-REPRODUCIBLE

🖬 À l'écoute

A. Quel subjonctif entends-tu, le présent du subjonctif ou le passé du subjonctif? Coche la colonne appropriée.

#	Présent du subjonctif	Passé du subjonctif
1.	☐	☐
2.	☐	☐
3.	☐	☐
4.	☐	☐
5.	☐	☐
6.	☐	☐
7.	☐	☐
8.	☐	☐
9.	☐	☐
10.	☐	☐

B. Écris le verbe que tu entends. Attention au mode (subjonctif ou indicatif)!

1. On est déçu qu'elle ne _____ pas _____ à la réunion.

2. Ils ont décidé qu'ils _____ la bonne décision.

3. Il est certain que tu _____ bien _____.

4. Vous êtes fiers que votre fils _____ au concours?

5. J'approuve que tu _____ cette pauvre fille.

6. Nous croyons que beaucoup de personnes _____ dans cet accident.

7. Il était évident que les élèves ne _____ pour cet examen.

8. Le gouvernment est surpris que tant de femmes _____ contre leur candidat.

R.K. PUBLISHING / NON-REPRODUCIBLE

Je pratique...

A. Mets les phrases suivantes au passé du subjonctif.

I. (se réveiller) Maman, n'es-tu pas contente que je _____ si tôt?

2. (croire) Je suis soulagé que tu _____ mon histoire.

3. (faire) Penses-tu qu'elles _____ leurs devoirs?

4. (devenir) On a peur que vous _____ gâtées et dissipées

5. (s'asseoir) Elle est tellement triste que son chum ne _____ pas _____ avec elle.

6. (mordre) Maman est vexée que le chien m'_____.

7. (pouvoir) Il est jaloux que nous _____ danser à la télévision.

8. (aller) Son père est fâché que son fils _____ à un club jusqu'à trois heures du matin.

9. (sortir) Nous ne sommes pas sûrs qu'elle _____ avec cet acteur.

IO. (mourir) On est choqué que le premier ministre de ce pays _____.

B. Mets le verbe souligné au passé du subjonctif.

Exemple : L'enfant est très content que ses amis **viennent** à sa fête.

L'enfant est très content que ses amis **soient venus** à sa fête.

I. Je suis très heureuse que tu **fasses** le projet.

_____

2. Nous acceptons que Roger ne **puisse** pas être ici.

_____

3. Le directeur ne croit pas que vous **arriviez** à l'heure.

_____

4. Nous sommes jaloux qu'ils **aillent** à l'école.

_____

5. Crois-tu que nous **voulions** étudier les sciences?

_____

6. Papa est fâché que nous **buvions** du coca.

_____

7. Il faut que nous **finissions** la composition aujourd'hui.

_____

8. Ils ont peur que j'**oublie** toutes mes leçons.

_____

R.K. PUBLISHING / NON-REPRODUCIBLE

C. Décide si le verbe doit être au passé du subjonctif ou au passé composé de l'indicatif. Écris la forme correcte du verbe.

1. (sortir) Où est Marc? Penses-tu qu'il _____?

2. (pouvoir) Nous croyons que tous les enfants _____ lire leurs livres.

3. (dormir) Papa est content que la petite Sylvie _____ neuf heures hier.

4. (se battre) Je suis sûr qu'ils _____! Ils faisaient tant de bruit!

5. (ouvrir) Nous sommes surpris que vous _____ déjà _____ tous les cadeaux.

6. (mourir) Elle est certaine que les animaux perdus ne _____ pas _____.

7. (se coucher) Je pense que Manon _____.

8. (finir) On ne croit pas que tu _____ tout ton travail.

R.K. PUBLISHING / NON-REPRODUCIBLE

LES PROBLÈMES SOCIAUX

I. Plan de la table ronde

Sujet : La violence au cinéma et son effet sur les enfants

I.   le chef s'appelle : _____

      ses questions : _____

      _____

      _____

      _____

      _____

Tu veux de l'aide?

Utilise les idées ci-dessous.

- pose une question sur un film discuté
- pose une question sur la classification des films
- pose une question sur un film violent et l'âge approprié pour le voir

- pose une question sur la nudité dans les films et son effet sur les enfants
- pose une question sur les personnes ou les situations dans les films que les enfants ont tendance à imiter

2.   une opinion individuelle

      Je pense que   _____

      _____

      Mes exemples   _____

      _____

      _____

      _____

      Des faits ou statistiques (sur Internet attitré *violence/cinéma*)

      _____

      _____

      _____

      _____

      _____

      _____

      _____

      _____

R.K. PUBLISHING / NON-REPRODUCIBLE

TÂCHE RICHE III

Utilise le schéma suivant pour préparer la tâche.

i.   le problème social que j'ai choisi :

_____

ii.   mon opinion :

_____

_____

_____

_____

des exemples pour illustrer mon opinion :

_____

_____

_____

_____

_____

iii.   les solutions que je propose :

a.   _____

b.   _____

c.   _____

d.   _____

e.   _____

R.K. PUBLISHING / NON-REPRODUCIBLE

TÂCHE FINALE - LA PRÉSENTATION À LA CLASSE

**Complète le schéma pour t'aider à préparer ta présentation.
N'oublie pas d'utiliser les autres tâches pour t'aider :**

I.   le problème social que j'ai choisi : _____
_____
_____

II. des exemples de ce problème : _____
_____
_____
_____

III. les statistiques : _____
_____
_____
_____

IV. les opinions des experts : _____
_____
_____
_____

V.   les solutions que je propose : _____
_____
_____
_____

VI. Mes questions pour encourager une discussion avec la classe: _____
_____
_____
_____

VII. Mes aides visuelles : _____
_____
_____

VIII. Mes ressources / ma bibliographie : _____
_____
_____
_____

La bibliographie

Une bibliographie doit être organisée en ordre alphabétique par auteur ou par titre de la sélection.

Pour chaque entrée de ta bibliographie, n'oublie pas d'inclure :

a) l'auteur

b) le titre

c) la maison et le lieu de publication

d) l'année de publication

Exemples :
Pour un livre
Untel, Jacob. *Les Polygames*, Paris : Harraps, 1991

Pour un article dans une revue
Simard, Marie. « La violence au cinéma ». *Châtelaine,* mai 2005

Pour un site Internet
Marron, Paule. « Le racisme chez les enfants ». http//:racisenfant//tablerondefr.org

Attention!

Il est nécessaire d'utiliser l'adresse complète pour ces sites.

"Wikipedia.org" n'est pas assez spécifique.

Tu veux de l'aide pour la présentation?

Utilise les conseils suivants :

- Ne lis pas ta présentation!

- Écris des notes sur des cartes et répète beaucoup pour connaître à fond ton sujet.

- Utilise une présentation Powerpoint ou des transparents pour t'aider à t'organiser.

- Parle naturellement!

- Quand tu poses des questions à la classe, choisis des questions auxquelles on peut facilement répondre.

  Exemple : « Qu'est-ce que tu penses? » est trop général.
  « Quelle classification donnerais-tu à ce film? » est plus précis.

R.K. PUBLISHING / NON-REPRODUCIBLE

UNITÉ 2

Le cœur de l'artiste

Regarde les images à la page 55 de ton Livre.

A. Choisis une œuvre et écris ta réaction à l'œuvre en utilisant un minimum de cinq adjectifs qualificatifs pour la décrire, par exemple, *innovatrice*, *détaillée*. Évite des adjectifs ordinaires comme *belle*, *laide* ou *intéressante*. Sers-toi d'un dictionnaire.

_____

_____

_____

_____

_____

B. Choisis une autre illustration de la même page du Livre et donne deux raisons pour expliquer ta réaction. Tu peux parler du <u>sujet</u> de l'œuvre, de sa <u>forme</u>, du <u>médium</u>, de ses <u>couleurs</u>, de son <u>impact</u> ou de son <u>message</u>.

_____

_____

_____

_____

C. Choisis une illustration qui a provoqué une réaction négative de ta part. Écris deux raisons pour expliquer ta réaction.

_____

_____

_____

D. Partage tes descriptions et tes opinions avec un ou une partenaire, puis avec la classe. Ajoute d'autres adjectifs qualificatifs à ta liste de la partie A.

_____

_____

_____

_____

_____

_____

R.K. PUBLISHING / NON-REPRODUCIBLE

Vocabulaire utile

A. Trouve une définition dans la colonne B pour chaque mot de la colonne A.

A		B
1.	_____ le peintre	**(a)** le matériel dont on se sert ou la technique qu'on utilise pour produire une œuvre
2.	_____ la peinture	**(b)** un outil qui sert à appliquer les couleurs sur une toile
3.	_____ un tableau	**(c)** une cannette qui contient de la peinture sous pression
4.	_____ un pinceau	**(d)** une structure qui soutient la toile pendant que l'artiste y travaille
5.	_____ une toile	**(e)** un portrait, un tableau ou l'art d'appliquer les couleurs sur une toile
6.	_____ la pierre	**(f)** un outil qui sert à couper la pierre
7.	_____ un cadre	**(g)** une œuvre, une peinture
8.	_____ un atelier	**(h)** une substance dure utilisée comme médium par un sculpteur ou une sculptrice
9.	_____ un chevalet	**(i)** le produit parfait d'un artiste qui démontre la maîtrise de son art
10.	_____ un marteau	**(j)** le bois ou le métal qui couvre les bords d'une toile
11.	_____ un ciseau	**(k)** la surface où un peintre applique les couleurs
12.	_____ une bombe	**(l)** le lieu où un artiste fait son travail
13.	_____ un pochoir	**(m)** un outil qui sert à enfoncer les clous
14.	_____ un chef-d'œuvre	**(n)** une feuille mince de carton ou de métal dont on a découpé un dessin
15.	_____ le médium	**(o)** l'artiste qui produit un tableau

B. Identifie les objets illustrés. Utilise des mots de la partie A.

_____ _____ _____ _____

_____ _____ _____

R.K. PUBLISHING / NON-REPRODUCIBLE

Le verbe irrégulier : peindre

Voici un verbe irrégulier dont vous aurez besoin pour parler des arts.

Au présent		Au passé composé	
je peins	nous peignons	j'ai peint	nous avons peint
tu peins	vous peignez	tu as peint	vous avez peint
il, elle peint	ils, elles peignent	il, elle a peint	ils, elles ont peint

Quelle sera la bonne forme pour les temps suivants?

1. le futur simple   je _____

2. le conditionnel   il _____

3. l'imparfait   vous _____

4. le plus-que-parfait   nous _____

5. le conditionnel passé   tu _____

6. le présent du subjonctif   que je _____

7. le participe présent   en _____

* Les verbes atteindre, craindre et éteindre suivent le même modèle que peindre.

Je pratique...

**Choisis le verbe approprié : *atteindre, craindre, éteindre* ou *peindre*
Écris la bonne forme.**

1. Puisque nous avons fait du graffiti, nous _____ l'arrivée de la directrice.

2. Les grands maîtres du passé _____ de beaux tableaux.

3. L'année dernière, après des années de travail, il _____ son but.

4. Il ne faut pas _____ l'inconnu.

5. Il faut qu'elle _____ les conséquences en expliquant ce qui est arrivé.

6. Il est devenu célèbre en _____ un chef-d'œuvre.

7. S'il voyageait à toute vitesse, il _____ sa destination avant le coucher du soleil.

8. – Que _____-tu?
    – Un portrait de ma meilleure amie.

9. Après avoir travaillé toute la journée, l'artiste _____ les lumières et est allé au salon pour regarder le match de football.

10. J'aime beaucoup _____ en plein air.

R.K. PUBLISHING / NON-REPRODUCIBLE

B. *atteindre, craindre, éteindre, peindre*
Quel est le bon verbe? Écris-le à la bonne forme.

I. Pourquoi _____-tu _____ son portrait?

Tu l'_____ l'année passée.

2. Si je fais de mon mieux, j'_____ mes buts personnels.

3. Nous _____ les hauteurs et les endroits ténébreux.

4. Si j'étais toi, je _____ l'avenir. Tout le monde en a peur.

5. Les artistes en herbe _____ leurs premières œuvres aux murs de la cuisine.

6. Les vandales _____ des graffitis au mur quand le policier est arrivé.

7. Si le missile _____ sa destination, il détruira New York.

8. « Attention! Si vous _____ la flamme de génie dans votre cœur, vous aurez du mal à la rallumer. »

9. – Pourquoi n'essaie-t-il pas?
– Il est possible qu'il _____ l'échec.

IO. En _____ la flamme, il s'est brûlé les doigts.

C. Écris quatre phrases originales.
Utilise un des quatre verbes : *atteindre, craindre, éteindre, peindre*,
chaque fois à un temps différent.

I. _____

2. _____

3. _____

4. _____

R.K. PUBLISHING / NON-REPRODUCIBLE

Congo, le peintre chimpanzé

A. Les mots à gauche se trouvent dans l'article.
Utilise le contexte des phrases de l'article pour choisir le bon synonyme.

I. ___ déboursé   (a) refusé   (b) payé   (c) accepté   (d) insisté

2. ___ engouement   (a) choc   (b) indifférence   (c) manie   (d) colère

3. ___ convoitées   (a) désirées   (b) coordonnées   (c) illégales   (d) d'amateur

4. ___ tentait   (a) offrait   (b) essayait   (c) oubliait   (d) refusait

5. ___ pulsion   (a) talent inné   (b) instinct primitif   (c) sentiment détestable   (d) fort désir

B. Les phrases suivantes sont-elles vraies ou fausses?
Justifie toutes tes réponses en utilisant des détails de l'article,
expliqués dans tes propres mots.

I. ___ La réaction publique aux peintures de Congo était tout à fait inattendue.

_____

2. ___ La vente aux enchères était la première présentation publique des œuvres de Congo.

_____

3. ___ Après avoir fait ses observations, Desmond Morris a conclu que Congo faisait ses œuvres par hasard.

_____

4. ___ Le travail de Congo a été ridiculisé par les peintres sérieux.

_____

5. ___ Le style de Congo était réaliste et détaillé.

_____

R.K. PUBLISHING / NON-REPRODUCIBLE

C.   À l'écoute!

🔘 **Qui parle?**

(A) Desmond Morris	(B) Congo	(C) Howard Hong
(D) Pablo Picasso	(E) un représentant de la BBC	

1. _____   2. _____   3. _____   4. _____

5. _____   6. _____   7. _____   8. _____

Je mets en application...

Imagine que tu es journaliste et que tu écris un article pour une revue nationale au sujet des beaux-arts.

- Prépare deux questions stimulantes pour Desmond Morris ou pour Howard Hong après la vente aux enchères chez Bonhams.
- Pose les questions à ton ou à ta partenaire qui répondra selon les informations dans l'article.
- Ensuite, réponds aux questions de ton ou de ta partenaire.

_____

_____

_____

_____

_____

_____

_____

R.K. PUBLISHING / NON-REPRODUCIBLE

 **À l'écoute**   **Roadsworth**

Écoute le passage suivant et écris les mots qui manquent.

Selon les « artistes graphistes » (les _____ et les tagueurs), faire du graffiti est une

forme d'art. Ils créent pendant la nuit. Leur _____ est la ville, les allées désertes ou

d'autres lieux où ils peuvent greffer sans interruption. Les _____ où ils pulvérisent

leurs images sont les murs des stations de métro, les wagons des trains non-surveillés et le béton gris.

Ils ne se servent pas d'équipement traditionnel comme les _____ et les

_____. Les outils avec lesquels ils achèvent leurs _____

sont les _____ aérosols et parfois les _____. Les murs où ils

travaillent leur servent de _____. Cependant, les autorités considèrent le graffiti

comme du vandalisme et on inflige de grosses amendes à ceux qui sont coupables d'avoir tagué.

Les artistes urbains cherchent à s'exprimer, mais il y a peu d'endroits où ils peuvent

_____ à cause des lois municipales. De plus, qui nettoiera les surfaces où les

graffiteurs _____? Les propriétaires des bâtiments qu'ils ont greffés sont responsables

d'enlever les graffitis importuns de leurs murs. Les _____ de quelques graffiteurs

comme Peter Gibson sont maintenant reconnues comme des nouveautés et le « dernier cri » dans le monde

stylistique. Les sites où Gibson a laissé ses dessins attirent l'attention et l'admiration du public. L'été

dernier, il a fait un projet (légitime, bien sûr) pour le Bureau d'art public de Montréal. La chaussée où il a

_____ ressemble maintenant à une fausse piste cyclable. Où qu'ils se trouvent, ses

_____ secouent le monde de l'art traditionnel et redéfinissent ce qui est accepté

comme « l'art ».

R.K. PUBLISHING / NON-REPRODUCIBLE

B. Relis l'article et coche si les phrases suivantes sont vraies ou fausses.
   Corrige les informations fausses. (« Ne…pas » ne suffit pas comme correction!)

Vrai	Faux	Phrases
☐	☐	1. Les « artistes graphistes » aiment peindre devant des spectateurs appréciatifs.
☐	☐	2. Les graffiteurs produisent leurs peintures en utilisant l'équipement typique d'un artiste visuel.
☐	☐	3. Si la police attrape les graffiteurs en train de peindre, on les met en prison.
☐	☐	4. Il y a beaucoup d'espaces disponibles dans lesquels les graffiteurs peuvent légalement faire leurs dessins.
☐	☐	5. Les services municipaux paient pour effacer les peintures créées par ces artistes.
☐	☐	6. Le travail de quelques « artistes publics » devient de plus en plus accepté.

C. Écris le mot qui s'applique au dessin dans l'espace approprié.

(a) le trottoir, (b) le béton,
(c) le passage clouté,
(d) un commutateur électrique,
(e) le fil barbelé, (f) la bitume,
(g) les marquages,
(h) la chaussée

R.K. PUBLISHING / NON-REPRODUCIBLE

D. **Écoute le reportage en direct de Micheline Robert et réponds aux questions suivantes par des mots clés.**

I.   Quel est le pseudonyme de l'artiste Peter Gibson? _____

2.   Pourquoi le policier pense-t-il qu'il faut arrêter Gibson et les autres graffiteurs?

   (a) _____

   (b) _____

3.   Quelle sera la punition de monsieur Gibson?

   _____

4.   Selon la dame à qui Micheline parle, pourquoi les actions de Gibson ne sont-elles pas graves?

   (a) _____

   (b) _____

5.   La dame croit que les œuvres de Gibson sont une forme d'art. Comment justifie-t-elle son opinion?

   (a) _____

   (b) _____

   (c) _____

R.K. PUBLISHING / NON-REPRODUCIBLE

E. Fais les mots croisés. Les réponses se trouvent dans l'article.

Horizontalement

4. une pénalité
7. un sobriquet utilisé pour cacher son identité
9. un adjectif qui fait référence aux affaires du tribunal
10. une feuille de carton ou de métal dont on a découpé la silhouette d'un objet
11. un adjectif qui décrit quelqu'un qui ne révèle jamais les secrets.
13. l'investigation de la police.
14. un adjectif qui décrit une publication qui attire l'attention car elle manque de bon goût.
16. un petit levier qui ouvre ou ferme l'électricité.
17. un fil couvert de pointes de métal.
18. le béton sur lequel on se promène ou conduit.

Verticalement

1. le chemin sur lequel on fait du cyclisme.
2. un pronom relatif utilisé après une préposition
3. la chaussée sur laquelle on se promène à côté de la rue.
5. l'argent qu'on doit payer si on a violé la loi.
6. une illustration qui annonce un spectacle ou film
7. un avocat qui travaille contre l'accusé.
8. un artiste qui peint les surfaces extérieures des bâtiments.
10. appliquer les couleurs à une toile.
12. où un piéton peut traverser la rue en sécurité: un passage _____
15. une méthode logique et réfléchie.

Les pronoms relatifs

Lis ce paragraphe et remplace le pronom relatif *où* par la bonne forme du pronom relatif *lequel*.

Selon les "artistes graphistes" (les graffiteurs et les tagueurs), faire du graffiti est une forme d'art. Ils créent pendant la nuit. Leur atelier est la ville – les allées désertes ou d'autres lieux <u>où</u>[1] ils peuvent greffer sans interruption. Les toiles <u>où</u>[2] ils pulvérisent leurs images sont les murs des stations de métro, les wagons des trains non-surveillés et le béton gris. Ils ne se servent pas d'équipement traditionnel comme les pinceaux et les palettes. Les outils avec lesquels ils achèvent leurs chefs-d'œuvre sont les bombes aérosols et parfois les pochoirs. Les murs <u>où</u>[3] ils travaillent leur servent de chevalet.

Cependant, les autorités considèrent le graffiti comme le vandalisme et on inflige de grosses amendes à ceux qui sont coupables d'avoir tagué. Les artistes urbains cherchent à s'exprimer mais il y a peu d'endroits <u>où</u>[4] ils peuvent peindre à cause des lois municipales. De plus, qui nettoiera les surfaces <u>où</u>[5] les graffiteurs peignent? Les propriétaires des bâtiments <u>où</u>[6] ils ont greffé sont responsables d'enlever le graffiti importun de leurs murs.

Les œuvres de quelques graffiteurs comme Peter Gibson sont maintenant reconnues comme les nouveautés et "le dernier cri" dans le monde stylistique. Les sites <u>où</u>[7] Gibson a laissé ses dessins attirent l'attention et l'admiration du public. L'été dernier, il a fait un projet (légitime, bien sûr) pour le Bureau d'art public de Montréal. La chaussée <u>où</u>[8] il a peint, ressemble maintenant à une fausse piste cyclable. Où qu'ils se trouvent, ses tableaux secouent le monde d'art traditionnel et redéfinissent ce qui est accepté comme "l'art."

1. dans _____

2. sur _____

3. devant _____

4. à _____

5. sur _____

6. sur _____

7. à _____

8. sur _____

A. Écris la bonne forme du pronom relatif *lequel*.

1. Le Salon était le groupe d'intellectuels pour _____ les peintres impressionnistes faisaient leurs efforts.

2. Les politiciens municipaux sont les autorités contre _____ les graffiteurs luttent.

3. La vente des marchandises customisées est la méthode par _____ le graffiteur André gagne sa vie.

4. Voilà le bâtiment derrière _____ le tagueur a bombé son nom.

5. Les ateliers dans _____ les artistes en herbe peignent sont très bien équipés.

R.K. PUBLISHING / NON-REPRODUCIBLE

6. Les autres Refusés du Salon ont organisé les expositions (à) _____ Cézanne a montré ses toiles.

7. Les peintures au Louvre parmi _____ la Joconde est exposée sont extraordinaires.

8. Les murs sur _____ les artistes graphistes travaillent sont déjà couverts de graffiti.

9. L'école des Beaux-Arts à _____ il a étudié lui a offert un enseignement approfondi.

10. Je lui ai donné le conseil sans _____ il n'aurait pas pu réussir.

B. Combine les paires de phrases en utilisant la forme convenable du pronom *lequel*.

Exemple : L'atelier est sombre et mal équipé. L'artiste peint dans cet atelier.
L'atelier **dans lequel** l'artiste peint est sombre et mal équipé.

1. Le ciseau est pointu et très aigu. Le sculpteur taille le marbre avec ce ciseau.

   _____

2. La patronne était une femme riche et renommée. Le poète a écrit ses vers pour cette patronne.

   _____

3. Le musée expose l'art d'Andy Warhol. Ses fans voyagent à ce musée.

   _____

4. Les fleurs exotiques ont inspiré Monet. Il peignait parmi ces fleurs.

   _____

5. La peinture célèbre était remarquable. Le critique s'est arrêté devant cette peinture.

   _____

6. Le chevalet s'est écroulé. L'artiste a appuyé sa toile contre ce chevalet.

   _____

7. Les ponts japonais étaient les endroits favoris de Monet. Les nénuphars flottaient sous ces ponts.

   _____

8. Le piédestal est très orné. Le sculpteur a mis sa statue sur ce piédestal.

   _____

R.K. PUBLISHING / NON-REPRODUCIBLE

C. Imagine que tu es professeur(e) d'arts plastiques. Tu donnes des instructions à des débutants qui ne sont pas très doués. Il faut que tu leur expliques l'emploi des articles nécessaires pour le travail. Complète les phrases suivantes en utilisant la bonne forme du pronom *lequel* et une explication précise.

1. Les pinceaux sont les outils avec

   _____

2. La toile est un tissu durable sur

   _____

3. L'huile et les aquarelles sont les médiums sans

   _____

4. Un ciseau et un marteau sont les instruments avec

   _____

5. Les chevalets sont les petites structures sur

   _____

6. Un atelier est une salle modeste dans

   _____

7. Les galeries et les musées sont les endroits (à)

   _____

8. L'acceptation et la reconnaissance sont les prix pour

   _____

9. Une palette est une surface sur

   _____

10. Le marbre est une pierre dure (de)

    _____

R.K. PUBLISHING / NON-REPRODUCIBLE

D. Quel pronom relatif est nécessaire pour compléter les phrases suivantes?

qui • que • dont • ce qui • ce que • ce dont • une forme de lequel

1. Je ne sais pas _____ a poussé le poète Verlaine à tirer sur son ami Rimbaud.

2. Monet et Renoir étaient deux artistes _____ ont beaucoup influencé l'art de leur époque.

3. Le mépris du public était l'affront _____ le jeune poète avait peur.

4. _____ un artiste a besoin, c'est d'une étincelle de génie pour inspirer son œuvre.

5. La poésie _____ les poètes romantiques ont écrite était pleine d'émotion et d'imagination.

6. Tahiti et la Martinique étaient deux îles _____ Paul Gauguin a voyagé.

7. Une partie du public ne sait pas _____ l'art abstrait veut dire.

8. Les fleurs _____ Monet a cultivées dans son jardin ont formé une toile vivante.

9. L'insomnie et l'hypochondrie étaient deux conditions _____ le poète Shelley a souffert.

10. Les commandes pour _____ les jeunes artistes travaillent les aident à survivre pendant qu'ils développent leur talent.

E. À l'écoute
Écoute le début des phrases suivantes.
Choisis la conclusion appropriée de la liste.

(a) laquelle on a exposé la peinture est un site historique.

(b) ce dont le poète Émile Nelligan avait peur.

(c) que le chimpanzé a faite.

(d) j'ai parlé était célèbre pendant le 19e siècle.

(e) lequel il a travaillé était les huiles.

(f) cet artiste veut dire avec sa peinture.

(g) désobéit aux lois pour accomplir son art.

(h) ce qui était d'un style traditionnel et conservateur.

1. _____   2. _____

3. _____   4. _____

5. _____   6. _____

7. _____   8. _____

R.K. PUBLISHING / NON-REPRODUCIBLE

Tâche riche I

Prépare ton entrevue ici.

Le personnage que j'ai choisi pour l'entrevue _____

Ce que je sais déjà au sujet de cette personne _____

_____

_____

_____

Mes questions pour stimuler une discussion de

a) sa carrière _____

_____

_____

b) ses motifs _____

_____

_____

c) le style de l'artiste (si tu as choisi Desmond Morris, il parlera pour Congo)

_____

_____

_____

d) la valeur artistique de ses œuvres _____

_____

_____

_____

R.K. PUBLISHING / NON-REPRODUCIBLE

Pour faire le portrait d'un oiseau

A. Réponds aux questions suivantes.

1. Comment le poète suggère-t-il que le travail de l'artiste

   a) est difficile? _____

   b) exige de la délicatesse? _____

   c) prend de la patience? _____

2. Comment un artiste visuel peut-il recréer « la fraîcheur du vent »,
   « la poussière du soleil » et « le bruit des bêtes » dans une peinture?

   _____

   _____

   _____

3. Pourquoi un oiseau est-il un bon choix comme sujet de la peinture?

   _____

   _____

Le mystère de la chambre

1. Utilise les notes que tu as prises à la page 54 de ton Cahier pour
   décrire ta réaction au tableau de Van Gogh. Utilise des adjectifs
   et parle du sujet et des choix de couleurs.

   _____

   _____

   _____

   _____

   _____

2. Ton évaluation de l'œuvre a-t-elle changé après avoir lu l'explication?
   Si oui, pourquoi?

   _____

   _____

R.K. PUBLISHING / NON-REPRODUCIBLE

EXPRESS 12ᴱ

Je mets en application...

Les questions suivantes forment la base d'une entrevue avec Vincent Van Gogh vers la fin de sa vie. Ajoute un minimum de six détails que tu as appris de ses citations, de l'article *Le mystère de la chambre* et du *Saviez-vous*? dans ton Livre.

1. D'après vous, quel est le but d'un artiste?

2. Comment choisissez-vous vos sujets?

3. Qu'y a-t-il dans votre style qui vous rend unique?

4. Pourquoi la solitude vous est-elle tellement importante?

5. Quand vous peigniez votre chambre à Arles, qu'essayiez-vous d'accomplir? Que ressentiez-vous?

Partage tes réponses avec ton ou ta partenaire, puis, à deux, présentez l'entrevue à la classe.

70

R.K. PUBLISHING / NON-REPRODUCIBLE

Solange

A. Choisis la bonne réponse.

1. _____ Solange étudie
   (a) la philosophie grecque
   (b) l'histoire de la médecine
   (c) les techniques de la sculpture
   (d) la littérature médiévale

2. _____ Son professeur est
   (a) toujours encourageant et compréhensif
   (b) indifférent aux créations médiocres
   (c) jaloux du travail de ses étudiants
   (d) le professeur le plus populaire de l'université

3. _____ Monsieur Singret exige que ses élèves
   (a) copient les œuvres des maîtres pour apprendre leur style
   (b) répètent son cours pour maîtriser les techniques
   (c) le consultent avant de commencer une œuvre
   (d) cherchent dans leur âme pour découvrir leur génie

4. _____ Une fois, Solange menace son professeur de son ciseau parce qu'il
   (a) l'a renvoyée de sa classe à cause de ses échecs
   (b) lui dit qu'elle ne réussira jamais comme artiste
   (c) la harcèle plus qu'elle puisse tolérer
   (d) a volé ses idées et ses inspirations pour son propre travail

5. _____ Solange a assez d'argent pour vivre parce qu'elle
   (a) reçoit de l'aide de ses parents
   (b) vend ses œuvres aux galeries locales
   (c) travaille à temps partiel dans une boutique d'art
   (d) reçoit une bourse de l'université

6. _____ Solange essaie de trouver de l'inspiration
   (a) en regardant les œuvres des vieux maîtres
   (b) en demandant des idées de monsieur Singret
   (c) en passant du temps dans les musées
   (d) en faisant des esquisses

7. _____ Selon monsieur Singret, l'inspiration artistique
   (a) vient à tout artiste après du temps
   (b) est comme un lien momentané avec Dieu
   (c) n'existe pas. Tout vient du travail constant.
   (d) peut être développé avec de l'instruction

8. _____ Enfin, Solange a trouvé son inspiration
   (a) en pensant à ses pauvres parents
   (b) dans les photographies de ses amis
   (c) après avoir dessiné pendant la nuit
   (d) dans les leçons de monsieur Singret

9. _____ Solange se sent mal à l'aise devant sa statue car elle
   (a) sait que le professeur va la critiquer
   (b) a l'impression que l'homme la regarde
   (c) a l'impression qu'elle copie le style d'un autre artiste
   (d) craint que son œuvre ne manque de valeur

10. _____ Solange a de la difficulté de finir son œuvre car
    (a) elle a perdu sa confiance
    (b) elle n'a plus d'argent pour acheter de la pierre
    (c) Singret se moque de son dessin
    (d) elle est épuisée et la pierre est dure

11. _____ Après avoir fini, Solange
    (a) se réjouit
    (b) offre la statue à monsieur Singret
    (c) s'endort tranquillement
    (d) tombe mortellement malade

12. _____ Nicole a vu… sortir du garage.
    (a) monsieur Singret
    (b) un homme
    (c) Solange
    (d) des médecins

B. Utilise les mots de la liste pour compléter les phrases suivantes.

âme	vie de bohème	fébrile	épuisé	ébauches
coups	crainte	œuvres	animé	éteint
pierre	tailler	échecs		

I. Au laboratoire, le docteur Frankenstein a ouvert le courant d'électricité et le monstre affreux s'est

_____.

2. Ne commence pas ton travail tout de suite. Il faut que tu fasses quelques _____

pour planifier le projet.

3. Les _____ de Monet sont de bons exemples du style impressionniste.

4. Avec quelques _____ de marteau, le charpentier a fini la construction.

5. Le concierge a _____ les lumières dans le théâtre après la fin du spectacle.

6. Au début de sa carrière, l'artiste a souffert quelques _____ avant de finalement réussir.

7. Après deux heures d'activité _____ dans la cuisine, nous étions prêts à accueillir

nos invités pour le dîner.

8. Elle a refusé de monter en ascenseur à cause de sa _____ d'espaces clos.

9. L'artiste doit chercher de l'inspiration au fond de son _____ pour créer une œuvre de valeur.

10. Rodin s'est mis à _____ le gros bloc de marbre pour créer sa sculpture.

R.K. PUBLISHING / NON-REPRODUCIBLE

C. Réponds à la question suivante.

Explique ce qui arrive à Solange pendant qu'elle taille la sculpture et après l'avoir finie.

_____

_____

_____

_____

_____

D. Pendant sa quête pour l'inspiration, Solange a gardé un journal intime dans lequel elle a déchargé sa colère et son angoisse. Cependant, puisqu'elle était souvent préoccupée, elle n'a pas complété beaucoup d'entrées.

Utilise les éléments de l'histoire pour recréer une image claire de ses actions et de ses émotions pendant ses derniers mois.

1. le 8 septembre… la rentrée… Singret est mon prof. Cela me plaît et m'agace en même temps. J'ai entendu des étudiants parler de lui.

_____

_____

_____

2. le 10 novembre… Singret me tourmente. Le vieil ogre! En classe,

_____

J'ai honte que _____

_____

3. le 17 novembre… Je dois retourner en classe. Il ne me vaincra pas.

4. le 18 novembre… Chez moi. De l'inspiration! Au moins, je le pense.

_____

_____

R.K. PUBLISHING / NON-REPRODUCIBLE

5. le 19 novembre… Échec! Je suis une ratée!

6. le 24 novembre… Désespérée… tellement triste que je confie mon enfer à Singret…

_____

_____

_____

7. le 27 novembre… Je ne dors plus.

_____

_____

8. Le 29 novembre… Enfin, j'ai saisi la flamme…

_____

_____

_____

Puis-je trouver la force de poursuivre? Je suis tellement fatiguée…

_____

_____

R.K. PUBLISHING / NON-REPRODUCIBLE

Les verbes de perception

A. Récris les phrases en utilisant le sujet et le verbe de perception entre parenthèses. Mets le verbe au passé composé.

Exemple : Le vent souffle doucement. (je… sentir)

J'ai senti le vent souffler doucement.

I. La vieille artiste peint sa toile. (Il… voir)

_____

2. Le sculpteur taille la pierre. (Nous… entendre)

_____

3. L'architecte doué fait des esquisses. (Tu… regarder)

_____

4. La tagueuse greffe son message. (Le policier… regarder)

_____

5. La potière tourne son vase. (Elles… voir)

_____

6. Le poète rebelle récite ses vers. (Les critiques… écouter)

_____

7. La virtuose du piano répète les nocturnes de Chopin. (Je… entendre)

_____

8. Van Gogh mélange les couleurs sur sa palette. (Les autres… regarder)

_____

R.K. PUBLISHING / NON-REPRODUCIBLE

B. Récris les phrases de l'activité « A », en remplaçant les compléments d'objet direct par le pronom approprié. Fais attention aux accords.

Exemple : J'ai senti le vent souffler doucement.

Je l'ai senti souffler doucement.

1. _____

2. _____

3. _____

4. _____

5. _____

6. _____

7. _____

8. _____

R.K. PUBLISHING / NON-REPRODUCIBLE

À l'écoute

Remplis les tirets par la bonne forme du verbe.

Attention!

Auras-tu besoin de l'infinitif ou du participe passé?

L'artiste tourmenté Vincent Van Gogh a souffert de maladies psychiatriques pendant sa courte vie. Écoute sa voisine madame Venissac parler de ses impressions de Vincent et d'un incident mémorable.

Mon voisin Vincent a un esprit turbulent et souvent dépressif, mais il peut peindre pendant ses moments

lucides. Je le regarde souvent _____ dans son atelier ou dans son jardin. L'autre jour,

une inspiration l'a saisi et il s'est mis à _____ fiévreusement. Je l'ai vu

_____ cinq dessins et une toile avant de _____ son pinceau.

Il a un tempérament explosif. Même son vieil ami Paul Gauguin ne peut pas éviter ses sautes d'humeur

violentes. Un soir, les deux ont _____ à se chamailler. J'ai pu sentir la colère

_____ dans leurs voix. Les autres voisins, aussi curieux que moi, sont sortis de chez eux et

ont _____ _____ les deux artistes. Par sa fenêtre, j'ai vu Vincent

_____ Paul d'un couteau. Heureusement, il a _____ Paul

_____ sans incident. Pendant la nuit, j'ai entendu Vincent _____ et

_____. Inquiète de sa stabilité mentale, je me suis _____ chez lui.

Je l'ai _____ _____ dans son atelier. Il murmurait qu'il regrettait

son comportement envers son ami. J'ai senti son cœur _____. Puis, à ma grande horreur,

je l'ai vu _____ un morceau de son oreille!

R.K. PUBLISHING / NON-REPRODUCIBLE

A. Imagine que tu es l'artiste Auguste Renoir. Tu veux expliquer tes impressions et tes inspirations au sujet de ce tableau, *Le déjeuner des canotiers*. Écris des phrases pour décrire ce que tu as vu, entendu et senti. Utilise les listes suivantes pour former tes idées.

Exemple : J'ai vu le soleil briller.

A	B		C	
écouter	les verres de vin	le soleil	ronronner	chuchoter leurs secrets
entendre	les gens à table	le parfum des fleurs	caresser mes joues	briller au ciel
sentir	les jeunes amoureux	les rayons de soleil	réchauffer ma peau	tinter
regarder	le chaton mignon	la brise douce	clapoter	étinceler sous le soleil
voir	l'eau	les vagues	flotter dans le vent	bavarder

I. _____

2. _____

3. _____

4. _____

5. _____

6. _____

7. _____

8. _____

9. _____

10. Enfin, j'ai laissé la scène emporter mon imagination. _____

R.K. PUBLISHING / NON-REPRODUCIBLE

A. **Récris tes phrases de l'activité précédente en remplaçant dans chaque cas le complément d'objet direct par le pronom approprié. Fais attention aux accords.**

Exemple : J'ai vu le soleil briller.

Je l'ai vu briller.

1. _____

2. _____

3. _____

4. _____

5. _____

6. _____

7. _____

8. _____

9. _____

R.K. PUBLISHING / NON-REPRODUCIBLE

**B. Réponds aux questions suivantes en utilisant le verbe entre parenthèses.
Si l'objet du premier verbe fait l'action de l'infinitif, le participe passé doit s'accorder.**

Exemple : As-tu vu les ballerines tomber? (danser)
Non, mais je les ai vues danser.

I. Avez-vous senti crachiner la pluie? (tomber)

_____

2. As-tu entendu chanter les poèmes? (réciter)

_____

3. Ont-ils vu sauter les hiphoppeurs? (danser)

_____

4. As-tu regardé se terminer les matchs? (jouer)

_____

5. A-t-il senti trembler les haut-parleurs? (vibrer)

_____

6. Avez-vous regardé voler les avions? (atterrir)

_____

7. Ont-elles entendu crier les airs? (chanter)

_____

8. A-t-on vu détruire les peintures? (exposer au musée)

_____

9. As-tu écouté jouer les mélodies? (chanter)

_____

IO. Avez-vous regardé présenter le film? (réaliser)

_____

R.K. PUBLISHING / NON-REPRODUCIBLE

A. Tu parles aux parents de quelques gens célèbres pour apprendre comment ils ont encouragé leurs enfants. Utilise le verbe _laisser_ suivi d'un infinitif dans la réponse. Ajoute une phrase pour expliquer quelque chose que les parents ont interdit à l'enfant.

Exemple : Monsieur Woods… Tiger

Monsieur Woods, qu'avez-vous permis à Tiger de faire pendant sa jeunesse?

Je l'ai laissé jouer au golf.

Je ne l'ai pas laissé participer aux sports violents.

I. Monsieur Monet… Claude

_____

_____

2. Monsieur et madame Trudeau… Pierre

_____

_____

3. Madame Bonaparte… Napoléon

_____

_____

4. Monsieur et madame Richard… Maurice

_____

_____

5. Monsieur et madame Jean… Michaëlle

_____

_____

6. Monsieur Rodin… Auguste

_____

_____

7. Monsieur et madame Roy… Gabrielle

_____

_____

8. Monsieur et madame Hugo… Victor

_____

_____

Tâche riche 2

Prépare ton article ici.

Les faits importants dans l'histoire de Solange : _____

_____

_____

_____

_____

Quel(s) fait(s) correspond(ent) à chacune de ces questions?

Qui : _____

Quoi : _____

Quand : _____

Où : _____

Pourquoi : _____

Qui vas-tu interviewer pour avoir des citations? _____

_____

_____

Quelle sera ta manchette? _____

_____

R.K. PUBLISHING / NON-REPRODUCIBLE

Nelligan

February 22, 2010.

A. Émile dit « Voyez mon cœur, coupé en deux
    Voyez ma vie, brisée, en feu… »
Après avoir relu les extraits et l'introduction, dresse une liste des forces opposées qui déchirent le cœur d'Émile. Écris une phrase pour expliquer le conflit.

I. Émile veut communiquer en français.	Son père parle anglais avec la famille.
pg.87 "Quel danger peut-il bien représenter!"	"But what if he becomes dangerous!" page 87
"Malade! Étrange, oui, peut-être" page 87	"That child is sick" page 87

B. Le texte de *Nelligan* est riche en images créées par les verbes actifs et les expressions descriptives. Par exemple, au lieu de dire « se fâche », Tremblay a choisi « s'enflamme » pour créer une image passionnante des émotions d'Émile. Trouve dans les extraits, les mots que Tremblay a utilisés pour décrire les situations suivantes.

1er extrait

1. *I want to face my fears*
   je veux faire face à mes peurs _____

2. *I want my poems to have a strong effect on my emotions*
   je veux que mes poèmes aient un fort effet sur mes émotions

   En couleur et en lettres de feu.

3. *He doesn't have a direction in life and he is disrupted*
   il n'a pas de direction dans sa vie et il est troublé

4. *He spends the night thinking of poetry.*
   il passe la nuit à penser à la poésie

5. *I can see that a disaster is imminent for him.*
   je peux voir qu'un désastre est imminent pour lui

   Il erre à travers un jardin en flammes

2e extrait

6. *Our family is not happy and doesn't have success.*
   notre famille ne sera jamais contente et n'aura pas de succès

3e extrait

7. *I broke (the light) sky and I crushed it*
   j'ai cassé (la lumière) du ciel et je l'ai écrasée

8. *I left tracks on my road.*
   j'ai laissé des traces sur ma route

R.K. PUBLISHING / NON-REPRODUCIBLE

C. Cherche dans les trois extraits des exemples qui démontrent :

1. l'éloignement d'Émile envers ses parents

   _____

2. qu'Émile a tendance à sentir et à parler en extrêmes

   _____

3. que le rapport entre les membres de la famille est à un point critique

   _____

4. que la création de la poésie fait partie d'une vie capricieuse qui n'est pas acceptable pour David

   _____

5. que la poésie est un exutoire pour les émotions turbulentes d'Émile

   _____

6. que les autres pensent que la poésie d'Émile est immorale

   _____

7. ce qu'Émile essaie d'accomplir dans ses vers

   _____

8. qu'Émile souffre dans une sorte d'enfer personnel

   _____

D. Réponds aux questions suivantes.

1. Comment les difficultés et les angoisses d'Émile ressemblent-elles à celles d'autres adolescents?
    À celles d'autres artistes, comme Van Gogh? Justifie ta réponse avec des exemples précis.

   _____

   _____

   _____

2. Pourquoi Émile utilise-t-il le mot *coupable* dans sa déclaration « Je suis coupable de la poésie? »?

   _____

   _____

R.K. PUBLISHING / NON-REPRODUCIBLE

À l'écoute

A. Camille Claudel était une sculptrice française qui a gagné du renom comme artiste douée. Elle était la collaboratrice, modèle et maîtresse du sculpteur Auguste Rodin. L'histoire de Camille est inspirante mais en même temps malheureuse comme la vie d'Émile Nelligan. On a interné Camille dans un asile d'aliénés où elle a passé les derniers 30 ans de sa vie. Son frère Paul, un célèbre écrivain et diplomate, était son seul visiteur pendant ce temps.

Écoute cette conversation avec Paul Claudel, puis écris les réponses appropriées.

1. La raison possible pour laquelle sa mère l'a rejetée.

   _____

2. Dans sa famille, qui l'a motivée? _____

3. L'école où elle a étudié. _____

4. La preuve que les arts étaient un « domaine masculin ».

   _____

5. Comment on sait que Rodin s'intéressait à son talent.

   _____

6. L'embarras de la famille. _____

7. Sa concurrente pour l'amour de Rodin. _____

8. Les médiums dans lesquels elle a travaillé. _____

9. Pourquoi les critiques ne l'ont pas prise au sérieux.

   _____

10. Le point critique de la vie adulte de Camille.

    _____

11. La condition qui l'a affectée. _____

B. Quelles similarités vois-tu dans les vies de Camille Claudel et d'Émile Nelligan?

   _____
   _____
   _____
   _____

R.K. PUBLISHING / NON-REPRODUCIBLE

Le vaisseau d'or

**A. Trouve la définition des mots de la liste « A » dans la liste « B ».
Écris la lettre de la réponse.**

A	B
1. _____ un vaisseau	(a) capable de confondre les sens
2. _____ massif	(b) descendre vers le fond
3. _____ un écueil	(c) pur; pas creux
4. _____ trompeur	(d) éternel et sans changement
5. _____ cercueil	(e) l'abîme
6. _____ immuable	(f) un navire; un bateau
7. _____ diaphane	(g) une maladie psychologique
8. _____ le Gouffre	(h) où on met le cadavre avant l'enterrement
9. _____ sombrer	(i) une barrière de corail
10. _____ névrose	(j) très délicat et presque transparent

B. Émile écrit une lettre à son bon ami Charles Gill pour lui demander ses réactions à son poème Le *vaisseau d'or*. Relis le poème soigneusement, puis écris les informations qui manquent.

Mon cher Charles,

Voilà longtemps que je ne t'ai pas écrit. Bonne nouvelle! L'inspiration m'a saisi et j'ai passé la nuit à écrire. J'ai des idées pour mon nouveau poème.

Tu sais que ma chère mère s'inquiète de moi, peut-être parce que je ne peux plus tolérer la vie étouffante chez moi. Elle est certaine que je « me noie ». Là, je suis tombé sur une idée : l'eau serait un motif important de mes vers. Tu vois le lien, Charles?

J'ai commencé le poème par décrire un _____ majestueux aux grands mâts qui semblent monter au _____. Cependant, je n'ai pas révélé ma métaphore centrale jusqu'à la dernière strophe : que le « navire » est vraiment _____. Ingénieux, n'est-ce pas?

Après cet éclair de génie, je ne pouvais pas contrôler le torrent d'images qui inondait mes pensées. Si moi j'étais le navire, alors les « mers inconnues » et « l'Océan trompeur » représenteraient _____.

La tempête brève serait une métaphore pour _____. Quand le navire a frappé un écueil, je voulais suggérer que _____ et le « naufrage » indiquerait que je _____. C'est l'extase, Charles! Je suis poète! Je crève de joie!

Je t'envoie, mon ami, mes bien amicales pensées.

Émile

R.K. PUBLISHING / NON-REPRODUCIBLE

C. Complète la réponse de Charles.

Cher Émile,

Comme toujours, tu as accompli le travail d'un maître. Je vois que les peines de ton existence t'ont inspiré. Même si quelques images sont belles, tu as choisi bien des mots qui me font frissonner. Les mots durs et froids comme _____ _____ me rappellent la mort, la solitude et la douleur émotionnelle. Bien que le poème soit émouvant, son ton est sombre et maussade.

Quel génie! Un amateur aurait dit tout simplement qu'il y a des tentations pendant la vie mais toi, tu as gardé les allusions de l'eau et tu as parlé des _____ qui tentaient et détournaient les marins dans la mythologie grecque et romaine.

Vive la vie de bohème et l'esprit créateur!

Accepte, je te prie, mes meilleures amitiés.

Charles

D. Réponds aux questions suivantes.

1. Quel voyage Émile décrit-il?

_____

2. Pourquoi le vaisseau est-il fait d'or?

_____

3. Quels sont les trésors qui existent dans le vaisseau?

_____

R.K. PUBLISHING / NON-REPRODUCIBLE

La romance du vin

A. Choisis le mot approprié de la liste pour compléter les phrases suivantes.

> *vive • verse • mépris • orgue • front • guéri • épée*
> *gémir • morose • sanglots*

1. Le mousquetaire a brandi son _____ , puis il a couru vers le champ de bataille.

2. Après la perte de son amoureux, Roxane a beaucoup souffert. Elle pleurait souvent et pendant la nuit on a pu entendre ses _____.

3. _____ un peu de lait dans tous les verres s'il te plaît.

4. Après vingt ans de recherches, les scientifiques ont _____ la maladie mortelle.

5. Hier il a fait trop d'activités et aujourd'hui il a mal partout. Quand il essaie de bouger, il commence à _____.

6. Elle joue de l'_____ à son église.

7. Parce qu'il ne faisait pas attention pendant le match, une balle l'a frappé au _____ et l'a assommé.

8. On sait qu'il n'a aucun respect pour ses adversaires. Quand il parle de leurs idées, sa voix est pleine de _____.

9. Il prévoit toujours le pire pour son avenir. À son avis, la vie sera un désastre. Quelle attitude _____!

10. Sa chambre reflète sa personnalité vibrante. Elle a choisi une couleur _____ pour les murs.

R.K. PUBLISHING / NON-REPRODUCIBLE

B. Comment Nelligan fait-il appel aux sens dans ce poème?
Choisis des exemples précis.

_____

_____

_____

_____

_____

_____

_____

_____

C. Comment ce poème représente-t-il la vie d'Émile Nelligan?

_____

_____

_____

_____

_____

_____

_____

_____

R.K. PUBLISHING / NON-REPRODUCIBLE

Tâche riche 3

Prépare le dialogue ici.

Ce que le docteur aurait décidé

a) après avoir parlé à monsieur Nelligan _____

_____

_____

b) après avoir parlé à madame Nelligan _____

_____

_____

c) après avoir parlé à Émile _____

_____

_____

d) après avoir interviewé les sœurs d'Émile _____

_____

_____

e) après avoir lu les poèmes d'Émile _____

_____

_____

Comment le docteur va-t-il expliquer sa décision à Émilie sans paraître insensible?

_____

_____

_____

R.K. PUBLISHING / NON-REPRODUCIBLE

Le pronom « ON » pour éviter la voix passive

A. Récris les phrases suivantes en utilisant le pronom on pour éviter la voix passive.

Exemple : Ce poème a été publié en 1905.

On a publié ce poème en 1905.

I. Nelligan a été interné en 1898.

_____

2. La gare d'Orsay a été construite en 1900.

_____

3. Le même bâtiment a été ouvert comme musée en 1986.

_____

4. Le dessin sur l'asphalte a été signé.

_____

5. Émile et ses amis ont été critiqués pour leur vie bohémienne.

_____

6. Émile a été reconnu comme poète romantique.

_____

7. L'annonce de la présentation a été affichée en ville.

_____

8. La peinture abstraite a été exposée au musée.

_____

9. Cette symphonie a été jouée pour la reine.

_____

10. Un tableau perdu de Jackson Pollock a été acheté pour cent dollars.

_____

R.K. PUBLISHING / NON-REPRODUCIBLE

B. Écris les phrases suivantes à la voix active.
Commence les phrases par *on*. Fais attention à la forme du verbe.

I. Les sculptures de Camille Claudel ont été critiquées pour leur ressemblance à celles de Rodin.

_____

2. Les œuvres de Claudel ont finalement été honorées.

_____

3. Les contes seront rédigés avant la date de publication.

_____

4. Le roman sera adapté pour le cinéma.

_____

5. Le tableau peint en aquarelles avait déjà été vendu.

_____

6. L'histoire de l'oreille de Van Gogh est souvent racontée à Arles.

_____

7. *Le cri* d'Edvard Munch a été retrouvé deux ans après son vol.

_____

8. Le vitrail aurait été réparé si le verre avait été brisé.

_____

9. La date de la grande exposition a été annoncée hier.

_____

IO. Du graffiti avait été bombé aux murs.

_____

C. À l'écoute

Indique si les phrases que tu entends sont à la voix active ou à la voix passive.

I. _____   2. _____   3. _____   4. _____

5. _____   6. _____   7. _____   8. _____

R.K. PUBLISHING / NON-REPRODUCIBLE

Tâche finale

Prépare ta lettre ici.

Ton évaluation de la Romance du vin :

a) le style _____

b) les images _____

_____

c) le langage _____

_____

d) sa valeur artistique _____

_____

e) Les lecteurs, vont-ils l'accepter? Donne des raisons. _____

_____

_____

Ta décision : Publier le poème ou non? _____

Tes raisons : _____

_____

_____

_____

Si non, comment rejeter le poème sans blesser le poète? _____

_____

_____

R.K. PUBLISHING / NON-REPRODUCIBLE

Utilise le format ci-dessous.

NOM DE LA MAISON D'ÉDITION _____

_____

ADRESSE _____

_____

DATE _____

NOM ET ADRESSE DU DESTINATAIRE

_____

_____

L'APPEL _____

_____

BUT DE CETTE LETTRE _____

_____

TA DÉCISION ET TES RAISONS _____

_____

D'AUTRES DÉTAILS QUE TU CONSIDÈRES IMPORTANTS _____

_____

LA SALUTATION _____

_____

TA SIGNATURE ET TON TITRE _____

_____

R.K. PUBLISHING / NON-REPRODUCIBLE

UNITÉ 3
Rêves et réalité

A. Fais une liste de tout ce à quoi tu penses quand tu entends le mot « bonheur ».

B. Compare ta liste avec celle de ton ou de ta partenaire. Utilise le diagramme de Venn ci-dessous. Écris les mots qui t'appartiennent à gauche, les mots qui sont uniques à ton ou à ta partenaire à droite. Au centre, écris tous les mots que vous partagez.

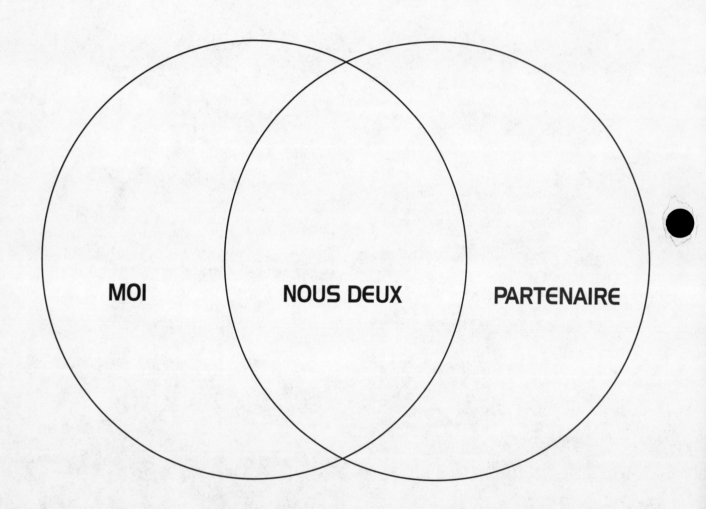

MOI   NOUS DEUX   PARTENAIRE

R.K. PUBLISHING / NON-REPRODUCIBLE

Saviez-vous?   # Guy de Maupassant

 À l'écoute
Écoute une entrevue avec l'auteur Guy de Maupassant.
Écris les informations que tu entends.
Ensuite, lis le *Saviez-vous*? dans ton Livre et vérifie tes réponses.
Corrige celles qui sont fausses.

I.   Ce que faisaient ses parents _____

2.   La situation économique de la famille _____

3.   Le parent qui l'encourageait à lire _____

4.   Le célèbre auteur qu'il connaissait _____

5.   Le parent qui était ami de cet auteur _____

6.   Ce qu'il a fait après avoir fini ses études _____

7.   L'ennemi de la France à la guerre à laquelle il a participé _____

8.   Ce qu'il a étudié pendant la guerre _____

9.   Le travail qu'il a trouvé après la guerre _____

10. Sa province natale _____

II. L'auteur qui l'a encouragé _____

12. Où il a eu ses premiers succès comme écrivain _____

13. Son âge quand on a publié son premier livre _____

14. Le nombre de fois qu'on a imprimé *Bel-Ami* _____

15. Son genre préféré _____

_____

_____

_____

_____

_____

_____

_____

_____

_____

_____

R.K. PUBLISHING / NON-REPRODUCIBLE

Saviez-vous?   La société française au 19ᴇ siècle

Réponds aux questions suivantes par des phrases complètes.

I. Qu'est-ce que Guy de Maupassant avait en commun avec Charles Dickens?

_____

2. On a mentionné quatre groupes dont la société était composée à cette époque. Dans quel groupe trouverait-on (a) un enseignant, (b) un duc, (c) un boulanger qui avait sa propre boulangerie et (d) un paysan?

_____

_____

3. Pourquoi, à ton avis, n'envoyait-on pas les filles à l'école?

_____

4. Quel était le but de l'instruction que les filles recevaient au couvent?

_____

5. Que veut-on dire par « un bon mariage »?

_____

Je mets en application...

Quels avantages et désavantages y avait-il pour les filles qui recevaient une éducation au 19ᵉ siècle?

Avantages	Désavantages

R.K. PUBLISHING / NON-REPRODUCIBLE

La parure, première partie

A. Vocabulaire
Trouve le mot convenable dans le texte.

I. l'argent qu'une fille apportait à son mariage _____

2. un employé sans beaucoup d'importance _____

3. tout le temps _____ _____

4. les choses qui coûtent cher _____

5. où on habite _____

6. une grande chaise confortable _____

7. les chaises, les tables, etc. _____

8. ce dont on couvre la table _____

9. des costumes pour sortir _____

10. très heureuse _____

II. les bagues, les colliers, les bracelets _____

12. une pierre précieuse _____

B. À l'écoute
Écoute les phrases suivantes.
Choisis le mot convenable pour les compléter.

enveloppe • fusil • diamants • dot • toilette • d'employés • bijou • embrassé
soirée • commis • glace • 400 francs • prêter • souffrait • luxes

I. _____   9. _____

2. _____   10. _____

3. _____   II. _____

4. _____   12. _____

5. _____   13. _____

6. _____   14. _____

7. _____   15. _____

8. _____

R.K. PUBLISHING / NON-REPRODUCIBLE

C. Prends des notes sur les trois personnages.
Écris tout ce que tu as appris à leur sujet.

Mᵐᵉ Loisel	M. Loisel	Mᵐᵉ Forestier

D. Explique l'importance des mots suivants dans l'histoire.

I. la dot

_____

2. les rêves

_____

3. une enveloppe

_____

4. un fusil

_____

5. des fleurs

_____

6. la rivière de diamants

_____

R.K. PUBLISHING / NON-REPRODUCIBLE

E. Réponds aux questions suivantes.

I. Pourquoi Mme Loisel n'a-t-elle pas pu faire un bon mariage?

_____

_____

_____

2. Pourquoi penses-tu que Mme Loisel n'est pas heureuse de recevoir l'invitation?
   Quelles différentes réactions voit-on ici?

_____

_____

_____

3. Pourquoi a-t-elle rejeté la suggestion de son mari de porter des roses?

_____

_____

_____

4. À ton avis, pourquoi n'a-t-elle emprunté qu'une seule parure à Mme Forestier?

_____

_____

_____

R.K. PUBLISHING / NON-REPRODUCIBLE

A. Écris un résumé de la deuxième partie du conte en utilisant les mots clés ci-dessous.

Exemple : des roses

M. Loisel a suggéré que sa femme porte des roses. Elle voulait porter des bijoux.

I. le succès

_____

2. un petit salon désert

_____

3. le manteau

_____

4. un fiacre

_____

5. la rivière

_____

6. la fermeture de la rivière

_____

7. le joaillier

_____

8. trente-six mille francs

_____

9. les travaux du ménage

_____

IO. une rencontre

_____

B. Écoute les phrases suivantes.
Choisis le personnage qui aurait dit chaque phrase.

A : Mᵐᵉ Loisel • B : M. Loisel • C : Mᵐᵉ Forestier • D : le ministre • E : le joaillier

I. _____   2. _____   3. _____   4. _____   5. _____

6. _____   7. _____   8. _____   9. _____   IO. _____

R.K. PUBLISHING / NON-REPRODUCIBLE

Je mets en application...

A. Complète les phrases suivantes en utilisant le conditionnel passé et imaginant une nouvelle situation. Consulte les tables de verbes dans ton Livre.

Exemple : Si Mme Loisel avait été plus réaliste…

Si Mme Loisel avait été plus réaliste, **elle aurait accepté sa situation**.

1. Si M. Loisel n'avait pas procuré l'invitation…

_____

2. Si Mme Loisel avait accepté de porter la robe qu'elle avait…

_____

3. Si Mme Loisel avait décidé de porter des fleurs au lieu des bijoux…

_____

4. Si les Loisel n'avait pas pris de fiacre…

_____

5. Si Mme Loisel avait tout de suite dit la vérité à Mme Forestier…

_____

B. Prépare ton entrevue avec le docteur Jamaistort ici. D'abord, écris les idées que ton personnage présentera. Ensuite, compare ce que tu as écrit avec les autres membres du groupe. Enfin, utilise ces idées pour préparer ce que tu dis.

Mme Loisel	Mme Forestier	le docteur Jamaistort

R.K. PUBLISHING / NON-REPRODUCIBLE

Les adjectifs possessifs

Écris des phrases qui contiennent des adjectifs possessifs pour décrire les personnes ou les choses suivantes.

Exemple : la chemise de mon ami
          Sa chemise est bleue.

1. La voiture du professeur de maths

    _____

2. Ma vie et celle de mes amis

    _____

3. Les goûts musicaux de ma meilleure amie

    _____

4. Les amis de mes parents

    _____

5. Le travail des élèves de cette classe

    _____

Les pronoms possessifs

A. À l'écoute
   Écoute ces deux femmes riches, Sidonie et Gisèle, qui parlent d'une fin de semaine qu'elles passeront à la campagne. Complète les phrases par les pronoms possessifs que tu entends.

Sidonie : Je ne veux pas que des domestiques inconnus touchent à mes affaires. J'amène ma propre bonne. Amènes-tu _____ ?

Gisèle : Oui, bien sûr. Mon mari amène aussi son propre valet. Et _____ ?

Sidonie : Il ne vient pas. Il est trop occupé.

Gisèle : Pauvre toi.

Sidonie : Pas du tout. Lui, il a ses propres intérêts et j'ai _____. À propos de cela, aurai-je besoin d'une robe longue?

R.K. PUBLISHING / NON-REPRODUCIBLE

Gisèle : J'apporterai _____. Même à la campagne il y a des soirées élégantes.

J'apporterai aussi ma tenue d'amazone. Il y aura certainement une chasse.

Sidonie : Malheureusement _____ est démodée. J'aurais voulu en commander une autre, mais je n'ai pas eu le temps. En tout cas, je déteste chasser. À mon avis, c'est un sport violent.

Gisèle : Mais tu aimes faire de l'équitation. Et ta tenue n'est pas plus démodée que

_____.

Sidonie : Peut-être que tu as raison. Je l'apporterai. Et un grand manteau. Il fera froid le soir.

Gisèle : _____ est très chaud. Je le porte toujours quand je fais une promenade.

Sidonie : Oui, c'était _____ que j'admirais l'année dernière quand on était à Paris. La couleur te va très bien. Et des bijoux? Que penses-tu?

Gisèle : Je préfère apporter juste une parure. J'ai toujours peur d'oublier mes bijoux quelque part.

Sidonie : Moi aussi, mais il faut avoir quelque chose à porter. Sans bijoux j'aurai l'air misère, n'est-ce pas?

Gisèle : Pas du tout. Mais je ne vois aucun problème. Si tu en apportes quelques-uns on pourra échanger _____ avec _____. Personne ne le remarquera.

Sidonie : Quelle bonne idée! Nous passerons une fin de semaine formidable!

C. Écris des comparaisons. Utilise des pronoms possessifs.

Exemple : ma voiture… ta voiture

La mienne est rouge. La tienne est bleue.

1. ses cheveux… tes cheveux

_____

2. leur maison… notre maison

_____

3. mon horaire… votre horaire

_____

4. nos professeurs… leurs professeurs

_____

5. mon stylo… ton stylo

_____

R.K. PUBLISHING / NON-REPRODUCIBLE

Tâche riche 1

Prépare le journal intime de Mathilde Loisel ici.

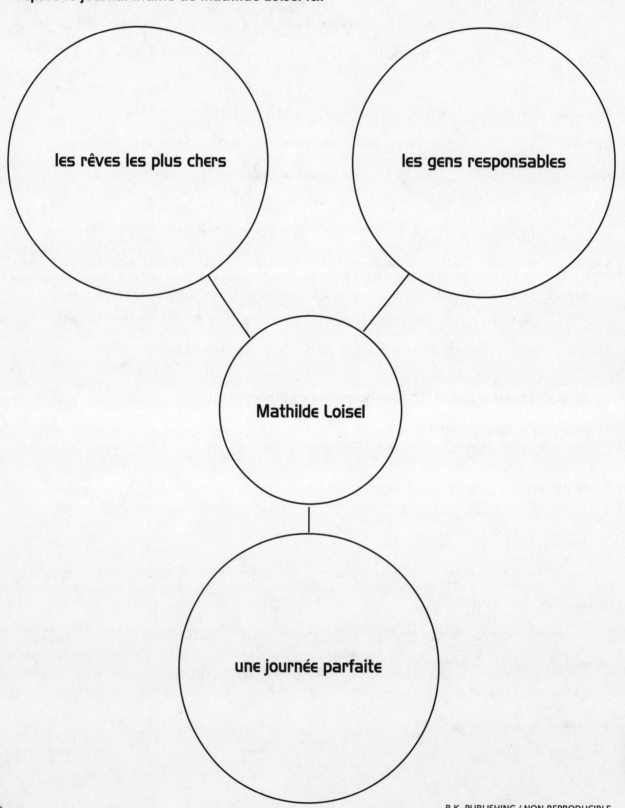

les rêves les plus chers

les gens responsables

Mathilde Loisel

une journée parfaite

R.K. PUBLISHING / NON-REPRODUCIBLE

Saviez-vous?   Michel Tremblay

Bienvenue à l'émission *Qui dit vrai*?
L'animatrice parlera à trois hommes qui prétendent être le célèbre auteur Michel Tremblay.
Un de ces hommes dira toujours la vérité; les deux autres pourront mentir.

Tu as trois tâches :

- Écoute l'entrevue et complète le tableau suivant.
- Décide lequel des trois a dit la vérité.
- Lis *Saviez-vous? Michel Tremblay* dans ton Livre pour vérifier tes réponses.

Question	Michel 1	Michel 2	Michel 3
1. date et lieu de naissance			
2. études universitaires			
3. sa pièce qui a remporté un prix			
4. le succès des *Belles-sœurs*			
5. la réaction publique au joual dans *Les belles-sœurs*			
6. le lieu du festival de théâtre			
7. la raison pour laquelle le Ministère n'a pas donné d'argent			
8. le joual dans ses autres pièces			

« *Les belles-sœurs* », Ière partie

A. Dans ce monologue, on trouve beaucoup d'exemples du joual. Voici quelques mots et expressions utilisés par Germaine. Quel est leur équivalent en français standard?

1. toé _____
2. ben _____
3. moé _____
4. pus _____
5. un cataloye _____

6. y (y est) _____
7. j'vas _____
8. le litte _____
9. chus _____
10. tu-suite _____

R.K. PUBLISHING / NON-REPRODUCIBLE

Je mets en application...

Imagine que Mathilde Loisel gagne un million de timbres. Que voudrait-elle avoir?

- À deux, faites une liste de choses qu'elle prendrait.
- Ensuite, présentez une conversation entre Mᵐᵉ Loisel et Mᵐᵉ Forestier dans laquelle elles parlent des prix que Mathilde va aura.
- ➡ N'oubliez pas que Mᵐᵉ Loisel vit au 19ᵉ siècle.

Préparez votre liste ici.

_____

_____

_____

_____

_____

_____

_____

_____

_____

_____

Je comprends...   « *Les belles-sœurs* », 2ᵉ extrait

Réponds aux questions suivantes par des phrases complètes.

1. Nomme les tâches quotidiennes que les femmes détestent.

_____

_____

_____

2. Que pensent-elles de leurs maris, de leurs enfants et des beaux-parents?

_____

_____

_____

3. À ton avis, qu'est-ce qui serait nécessaire pour changer leur vie?

_____

_____

_____

R.K. PUBLISHING / NON-REPRODUCIBLE

Vocabulaire

Trouve dans le texte comment les femmes disent :

1. une vie ennuyeuse que je déteste _____

2. j'ai beaucoup de difficulté _____

3. ça me rend malade _____

4. je dis des gros mots _____

5. on se dispute _____

6. les enfants sont de mauvaise humeur _____

7. je me fais mal au dos _____

8. les enfants font beaucoup de bruit _____

9. ma famille de vauriens _____

10. j'en ai marre _____

Je mets en application...

Tu es conseiller ou conseillère et tu as interviewé une de ces femmes. Elle est venue te voir pour parler de ses malheurs. Pendant l'entrevue tu as pris des notes et tu as écris une conclusion.

- Écris tes notes et ta conclusion ci-dessous.
- Ensuite, compare tes notes avec celles d'un ou d'une partenaire.

_____
_____
_____
_____
_____
_____
_____
_____
_____

Je comprends...

Réponds aux questions suivantes.

1. Pourquoi Germaine a-t-elle demandé ses timbres?

_____

2. Comment le vol des timbres a-t-il été révélé?

_____

3. Comment les femmes se sont-elles défendues contre les accusations de Germaine?

_____

4. Que font les deux jeunes pendant la bataille?

_____

5. À ton avis, pourquoi Germaine a-t-elle rejeté sa sœur Pierrette?

_____

6. Comment l'auteur a-t-il fini sa pièce? Quelle était ta reaction?

_____

J'approfondis

Germaine, mérite-t-elle notre pitié? Fais une liste : *Pour* et *Contre*.
Partage ta liste avec ton ou ta partenaire, puis avec la classe.

Pour	Contre
_____	_____
_____	_____
_____	_____
_____	_____
_____	_____
_____	_____
_____	_____
_____	_____
_____	_____

R.K. PUBLISHING / NON-REPRODUCIBLE

Je pratique...

Le faire causatif

A. Change les phrases suivantes pour montrer que le sujet a causé mais n'a pas fait l'action.

Exemple : J'ai lavé le chien.
J'ai fait laver le chien.

1. Mme Forestier arrange les fleurs.

   _____

2. Nous présenterons l'invité d'honneur.

   _____

3. Il chantait aux enfants.

   _____

4. Tu as rangé ta chambre.

   _____

5. Mon père avait réparé la voiture.

   _____

6. Je montre les photos de mon voyage.

   _____

7. La dame fait une robe.

   _____

8. Ils joueront des disques français.

   _____

B. Dis ce que Germaine fera pour transformer sa maison quand elle aura collé tous les timbres.

Exemple : changer tous les rideaux dans le salon.

Elle fera changer tous les rideaux dans le salon.

1. décorer la chamber

   _____

2. remplacer le frigo

   _____

3. installer un tapis

   _____

4. peinturer les murs

   _____

5. renouveler les placards dans la cuisine

   _____

C. Maintenant remplacez l'objet direct dans chacune des phrases précédentes par le pronom approprié.

Exemple : changer <u>tous les rideaux</u> dans le salon.

Elle **les** fera changer dans le salon.

1. décorer la chamber

   _____

2. remplacer le frigo

   _____

3. installer un tapis

   _____

4. peindre les murs

   _____

5. renouveler les placards dans la cuisine

   _____

R.K. PUBLISHING / NON-REPRODUCIBLE

D. À l'écoute
Écoute la femme parler de ses projets à la maison.
Indique si elle fait les choses elle-même ou si une autre personne les fait.

	elle-même	une autre personne
1.	_____	_____
2.	_____	_____
3.	_____	_____
4.	_____	_____
5.	_____	_____
6.	_____	_____
7.	_____	_____
8.	_____	_____

E. Mme Loisel et Mme Forestier se parlent.
Complète les réponses de Mme Forestier en utilisant le *faire causatif*.
Remplace les mots soulignés par le pronom approprié.

Exemple : Mme Loisel – Je fais le ménage moi-même. (bonne)

Mme Forestier – Je le fais faire à ma bonne.

1. Je prépare le dîner moi-même. (chef de cuisine)

_____

2. J'écris mes lettres moi-même. (secrétaire)

_____

3. Je désherbe le jardin moi-même. (jardinier)

_____

4. J'ouvre la porte aux visiteurs moi-même. (maître d'hôtel)

_____

5. Je blanchis les chemises de mon mari moi-même. (blanchisseuse)

_____

R.K. PUBLISHING / NON-REPRODUCIBLE

Je pratique...

A. Utilise le faire causatif réfléchi pour exprimer les idées suivantes.

Exemple : On a fait une robe du soir pour Mᵐᵉ Loisel.
           Mᵐᵉ Loisel **s'est fait faire** une robe du soir.

1. On a invité M. Loisel au bal.

    _____

2. On a coiffé Mᵐᵉ Loisel pour le bal.

    _____

3. On a conduit les Loisel chez eux dans un fiacre.

    _____

4. On a remarqué Mᵐᵉ Loisel au bal.

    _____

5. On a envoyé les timbres à Germaine.

    _____

**B. Tu es allé(e) à une soirée la semaine passée.
Écris trois choses que tu t'es fait faire avant d'y aller.**

1. _____

2. _____

3. _____

R.K. PUBLISHING / NON-REPRODUCIBLE

Tâche riche 2

Préparez votre entrevue ici.

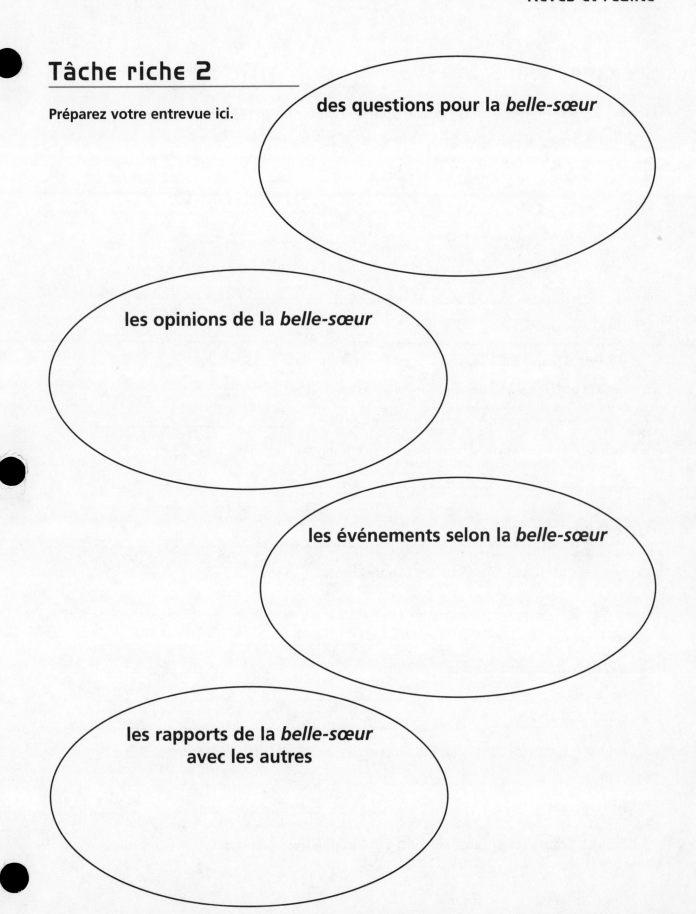

des questions pour la *belle-sœur*

les opinions de la *belle-sœur*

les événements selon la *belle-sœur*

les rapports de la *belle-sœur* avec les autres

R.K. PUBLISHING / NON-REPRODUCIBLE

Je comprends...   Du rêve à l'action

Trouve les informations dans l'article pour compléter les phrases suivantes.

I.   Il est plus facile de rêver sa vie que _____ .

2.   Selon l'auteur, on peut réaliser ses rêves même si _____

      _____ .

3.   Martin et Lynda avaient deux autos parce que _____ .

4.   Le manque d'argent à part, la raison principale pour laquelle on ne suit pas ses rêves est

      _____

5.   Le rêve produit deux effets _____ .

      Il nourrit _____ et pour d'autres il est _____

6.   Selon le psychologue, les gens qui passent à l'action sont _____

7.   Quelques-uns achètent des billets de loto parce qu'ils _____ .

8.   Pour répondre aux critères de la Fédération canadienne, Jean Lelion doit participer à

      _____

Vocabulaire

Explique les mots suivants dans tes propres mots.

I.   un géologue _____

      un(e) conjoint(e) _____

2.   un périple _____

3.   un cellulaire _____

4.   le covoiturage _____

5.   un frein _____

6.   l'escrime _____

7.   l'hébergement _____

À l'écoute. Écoute les phrases suivantes et indique qui l'aurait dit.

A. Martin ou Lynda   •   B. Jean Lelion   •   C. Marc Vachon

I. _____   2. _____   3. _____   4. _____   5. _____

R.K. PUBLISHING / NON-REPRODUCIBLE

Je mets en application...

Préparez votre conversation ici.

Les obstacles de Jean Lelion	Les suggestions du conseiller/de la conseillère

Je comprends... Le secret est dans la sauce

Explique les suggestions de Marc Vachon dans tes propres mots.

1. les objectifs _____

2. l'action _____

3. la responsabilité _____

4. les émotions _____

5. les autres _____

6. la patience _____

R.K. PUBLISHING / NON-REPRODUCIBLE

J'observe!   L'infinitif passé

Examine les exemples dans ton Livre et réponds aux questions suivantes.

I.   Quelles sont les deux parties dont l'infinitif passé est formé?

     _____

2.   Quelle préposition se trouve souvent devant l'infinitif passé?

     _____

3.   Quelle action précède : celle du verbe principal ou celle de l'infinitif passé?

     _____

4.   Combien de sujets y a-t-il dans une phrase qui contient un infinitif passé?

     _____

5.   Avec quoi le participe passé s'accorde-t-il

     a) si l'infinitif est *avoir* _____

     b) si l'infinitif est *être* _____

     c) si le verbe est pronominal _____

6.   Où met-on les pronoms objets?

     _____

R.K. PUBLISHING / NON-REPRODUCIBLE

Je pratique...

A. **Récris les phrases suivantes en employant _après_ + l'infinitif passé.**

Exemple : Lynda et Martin ont fait des recherches, puis ils ont décidé de faire le tour du monde.
Après avoir fait des recherches, Lynda et Martin ont décidé de faire le tour du monde.

1. Lynda et Martin ont vendu leur condo, puis ils sont partis.

   _____

2. Ils sont revenus au Canada et ils ont fondé leur propre commerce.

   _____

3. Ils ont décidé de voyager autour du monde, donc ils ont commencé à établir un plan d'action.

   _____

4. Jean Lelion a trouvé un commanditaire privé pour financer le vol, puis il a dû payer l'hébergement et

   les repas. _____

5. Jean a participé aux compétitions locales, puis il voulait faire partie de l'équipe canadienne aux Jeux

   olympiques. _____

B. Remplace les mots soulignés par le pronom approprié. Attention aux accords!

Exemple : Après avoir parlé <u>au directeur de la banque</u>, j'ai décidé que le voyage coûterait trop cher.

Après <u>lui</u> avoir parlé, j'ai décidé que le voyage coûterait trop cher.

1. Après avoir lu <u>**la lettre de Jean**</u>, son père lui a transféré ses points pour un billet d'avion.

_____

2. Après avoir mis assez <u>**d'argent**</u> de côté, Lynda et Martin ont fait le tour du monde.

_____

3. Après avoir emprunté <u>**de l'argent**</u> à la banque, Jean a demandé de l'aide à ses parents.

_____

4. Après avoir examiné <u>**le problème**</u>, Lynda et Martin ont acheté une seule auto.

_____

5. Après être retournés <u>**à la maison**</u>, ils ont entamé le deuxième volet de leur aventure.

_____

C. Samedi passé a été une journée surchargée pour toi. Écris cinq choses que tu as faites, en utilisant après + l'infinitif passé.

Exemple : *Après avoir pris le petit déjeuner, j'ai fait la vaisselle.*

_____

_____

_____

_____

_____

R.K. PUBLISHING / NON-REPRODUCIBLE

Tâche riche 3

Prépare ton exposé ici.

Nom du personnage _____

Date et lieu de naissance _____

Sa famille et sa jeunesse _____

_____

_____

Ses ambitions et ses rêves _____

_____

Les gens qui l'ont encouragé _____

Ses débuts professionnels _____

_____

Son premier succès _____

_____

Ses grands succès _____

_____

Son mariage et sa famille _____

Autres détails importants _____

_____

_____

Date et lieu de sa mort _____

Tâche finale

Prépare ton travail ici.

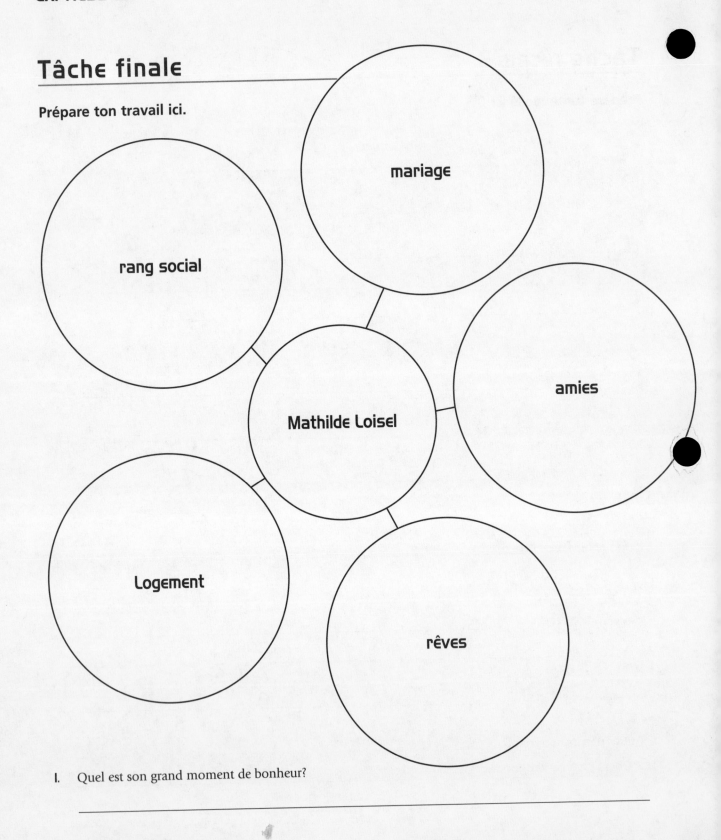

1. Quel est son grand moment de bonheur?

   _____

2. Comment ce bonheur se termine-t-il?

   _____

R.K. PUBLISHING / NON-REPRODUCIBLE

Tâche finale

Prépare ton travail ici.

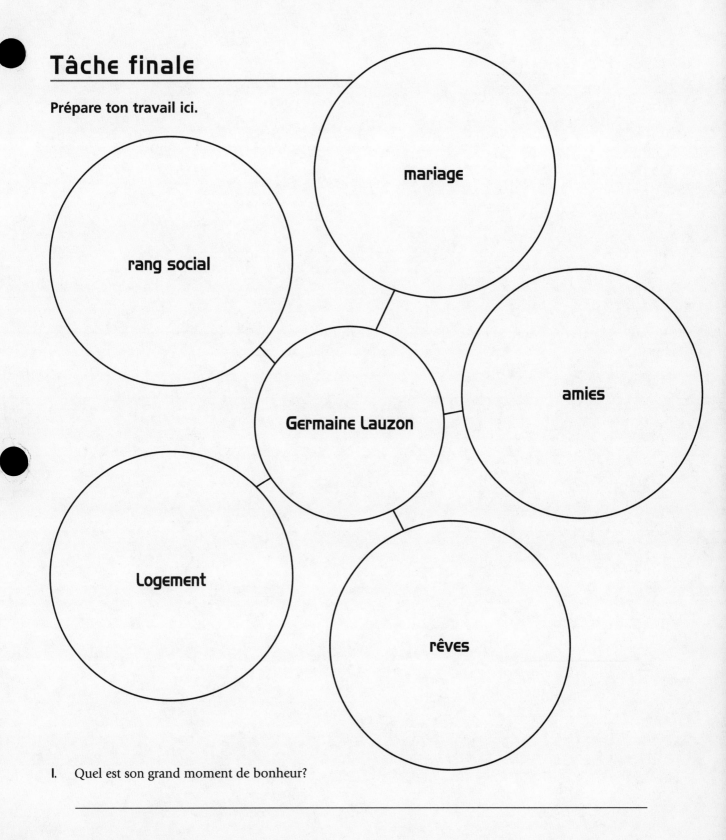

I. Quel est son grand moment de bonheur?

_____

2. Comment ce bonheur se termine-t-il?

_____

UNITÉ 4
La force de l'esprit

Je comprends

Le mythe d'Œdipe

Explique les événements suivants dans tes propres mots.

I. Laïos et Jocaste ont décidé de sacrifier leur enfant.

_____

_____

2. Le roi Laïos est mort.

_____

_____

3. Œdipe a sauvé Thèbes du Sphinx.

_____

_____

4. Les actions d'Œdipe après avoir vaincu le Sphinx.

_____

_____

Vocabulaire

Trouve les mots qui répondent aux définitions suivantes dans les articles de journal.

I. étonne, cause de la détresse _____

2. est mort _____

3. la tristesse d'une personne chère après sa mort _____

4. l'assassinat _____

5. la mort _____

6. trouver la solution _____

7. quelqu'un qui est présent à un événement _____

8. le calme _____

R.K. PUBLISHING / NON-REPRODUCIBLE

Je comprends

A. Réponds aux questions suivantes.

I. Quel était le crime d'Œdipe?

_____

2. Comment s'appelaient les enfants d'Œdipe et de Jocaste?

_____

3. Qu'a fait le roi Œdipe quand il a appris la vérité?

_____

4. Comment Jocaste est-elle morte?

_____

B. Explique l'importance des mots suivants dans l'histoire d'Œdipe.

I. l'oracle

_____

2. une énigme

_____

3. un mariage

_____

4. des broches

_____

C. Explique dans tes propres mots pourquoi Œdipe n'aurait pas pu arrêter les événements qui l'ont détruit.

_____

_____

_____

D. Organise les articles en ordre chronologique.

I. _____

2. _____

3. _____

4. _____

5. _____

6. _____

7. _____

8. _____

9. _____

IO. _____

E. À l'écoute.
Écoute l'émission suivante.
Ensuite, complète les phrases.

I. L'heure de cette émission est _____

2. Le reporter sur place s'appelle _____

3. Il fait son reportage en direct de _____

4. L'animateur s'appelle _____

5. La dernière nouvelle est qu'Œdipe _____

6. Le serviteur a trouvé _____ par terre.

7. Au début, on pensait que _____

8. L'accusation est que _____ et que _____

9. Œdipe a quitté le palais accompagné de _____

IO. Pour ne plus voir l'horreur de ses actions, Œdipe _____

II. Pour ce faire, il s'est servi des _____

I2. D'autres détails seront donnés à _____

R.K. PUBLISHING / NON-REPRODUCIBLE

Je mets en application

A. Fais un résumé du mythe que tu as choisi.

_____

_____

_____

_____

_____

_____

B. Réponds aux questions suivantes en style journalistique.

1. Qui? _____

2. Quoi? _____

_____

3. Où? _____

4. Quand? _____

5. Pourquoi? _____

C. Quels sont les détails les plus importants qui doivent se trouver dans le premier paragraphe?

_____

_____

_____

D. Écris deux ou trois citations à mettre dans l'article.

_____

_____

_____

E. Quelle sera la manchette de l'article?

_____

_____

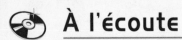

À l'écoute   **Jean Anouilh**

Écoute l'entrevue avec Jean Anouilh.
Explique brièvement l'importance des mots suivants.
Ensuite, vérifie tes réponses dans ton Livre.

1. *Antigone* _____

2. la Faculté de Droit _____

3. la publicité _____

4. les théâtres parisiens _____

5. Jean Giraudoux _____

6. une langue poétique _____

7. les thèmes de la mythologie _____

8. la modernisation _____

9. la mort d'Antigone _____

10. deux zones _____

11. la collaboration _____

12. la résistance _____

R.K. PUBLISHING / NON-REPRODUCIBLE

« Antigone » : Que s'est-il passé?

Deux Thébains parlent des événements dans le pays.
Écoute leur conversation et réponds aux questions suivantes.

1. Pourquoi l'homme ne partage-t-il pas les sentiments de la femme envers le roi Œdipe?

   _____

2. Selon la femme, qui souffrira le plus de la mort du roi Œdipe?

   _____

3. À qui le roi avait-il laissé son trône?

   _____

4. Comment devaient-ils gouverner?

   _____

5. Que pense l'homme des fils du roi Œdipe?

   _____

6. Qu'est-ce qui est arrivé aux fils du roi?

   _____

7. De quoi la femme n'avait-elle pas entendu parler?

   _____

8. Qu'avait déclaré le roi Créon au sujet d'Étéocle?

   _____

9. Où est le cadavre de Polynice?

   _____

10. Quelle sera la punition de celui ou de celle qui essaie de couvrir le cadavre de Polynice?

   _____

R.K. PUBLISHING / NON-REPRODUCIBLE

Je comprends   « Antigone », première partie

Réponds aux questions suivantes.

1. Où va Antigone?

    _____

2. Que doit-elle faire pour que Créon la sauve?

    _____

3. Pourquoi ne peut-elle rien accomplir en enterrant son frère?

    _____

4. Comment Créon décrit-il les prêtres qui ont enterré Étéocle?

    _____

5. Selon Créon, qu'est-ce qui est absurde? Pourquoi?

    _____

6. À ton avis, pourquoi Créon veut-il sauver Antigone?

    _____

7. Pourquoi Créon laisse-t-il le cadavre de Polynice pourrir au soleil quand il serait plus facile
    (et plus hygiénique) de l'enterrer?

    _____

8. Pourquoi Créon aurait-il peur d'Antigone?

    _____

9. Quand Antigone dit « Pauvre Créon », penses-tu qu'elle ait pitié de lui? Explique ta réponse.

    _____

10. Une civilisation pourrait-elle continuer à exister si tout le monde avait le même point de vue
    qu'Antigone? Explique ta réponse.

    _____

R.K. PUBLISHING / NON-REPRODUCIBLE

Vocabulaire

A. Trouve dans le passage un synonyme de :

1. une personne qui est comme un animal _____

2. tu as essayé _____

3. tu ne dis rien _____

4. une action insensée _____

5. mettre un cadavre dans la terre _____

6. un corps mort _____

7. pas digne de respect _____

8. un oiseau ou un animal qu'on chasse _____

9. la partie du bras la plus proche de la main _____

10. produit une mauvaise odeur _____

B. Antigone dit à Créon : *Vous êtes trop sensible pour faire un bon tyran.*
Donne quelques exemples historiques de tyrans. Penses-tu qu'un tyran ne puisse être sensible aux autres s'il veut gouverner?

_____

_____

_____

Les expressions négatives, groupe I

Réponds aux questions suivantes.

1. Quel est l'ordre des expressions *ne... jamais, ne... plus* et *ne... rien?*

    _____

2. Quelle expression négative ne se trouve pas dans une phrase où il y a une autre expression négative?

    _____

3. Quel est l'ordre des mots au passé composé?
    Utilise les symboles suivants pour expliquer :

NI	=	ne
N2	=	pas, plus, jamais, rien
VI	=	verbe auxiliaire
V2	=	participe passé

À l'écoute

Écoute les questions suivantes et les trois réponses possibles.
Encercle la réponse la plus logique.

I.	A	B	C
2.	A	B	C
3.	A	B	C
4.	A	B	C
5.	A	B	C
6.	A	B	C
7.	A	B	C
8.	A	B	C

R.K. PUBLISHING / NON-REPRODUCIBLE

Je pratique

A. Écris les phrases suivantes au négatif en employant l'expression négative qui convient. Fais tous les changements nécessaires.

Exemple : Polynice a toujours pris des prisonniers.
          Polynice **n'a jamais** pris **de** prisonniers.

I. Elle fait du bruit.

_____

2. Créon ferait tout pour convaincre Antigone.

_____

3. Essaie-t-elle encore de le convaincre?

_____

4. Quelque chose d'inattendu se passera à la fin de la pièce.

_____

5. Quelquefois vous preniez des décisions injustes.

_____

6. Créon gagnera le match.

_____

7. Antigone refuserait souvent de dire oui.

_____

8. Nous faisons encore un effort.

_____

9. Que répondra-t-elle?

_____

10. Tu quittais Thèbes de temps en temps.

_____

B. Écris les phrases suivantes au passé composé et au négatif en employant l'expression négative qui convient. Fais tous les changements nécessaires.

Exemple : Créon promet beaucoup à Antigone.
            Créon n'a **rien** promis à Antigone.

1. Antigone voit quelque chose près du cadavre.

   _____

2. Le roi de Thèbes fait une proclamation.

   _____

3. Elle joue souvent avec ses deux frères.

   _____

4. Elle fait toujours ce qui est nécessaire.

   _____

5. Nous entendons encore parler de ce crime.

   _____

6. Tout inquiète Antigone.

   _____

7. L'oracle de Delphes dit constamment la vérité.

   _____

8. Créon essaie encore de convaincre sa nièce.

   _____

9. Vous avez de la chance.

   _____

10. Antigone résiste beaucoup.

   _____

R.K. PUBLISHING / NON-REPRODUCIBLE

C. Écris les phrases suivantes au négatif en employant l'expression négative qui convient. Fais tous les changements nécessaires.

1. Créon aimerait encore convaincre Antigone de son opinion.

   _____

2. Antigone veut toujours écouter son oncle.

   _____

3. Les gardes vont chercher des prisonniers.

   _____

4. Elle essaie de tout faire pour faire plaisir à son oncle.

   _____

5. Nous allons lire beaucoup de pièces de théâtre.

   _____

6. Antigone refuse toujours de compromettre ses idées.

   _____

7. Les gardes vont recouvrir le cadavre de Polynice.

   _____

8. Vous pouviez encore vous sauver.

   _____

9. Les filles d'Œdipe devraient obéir à leur oncle.

   _____

10. Créon voudrait dire quelque chose d'important.

   _____

R.K. PUBLISHING / NON-REPRODUCIBLE

D. Écris les phrases suivantes au négatif en employant l'expression négative qui convient. Fais tous les changements nécessaires.

1. Nous allons toujours partager cette opinion.

     _____

2. Vous allez encore réussir.

     _____

3. Je lui ai demandé quelque chose.

     _____

4. Il la lisait encore.

     _____

5. Tout m'intéresse.

     _____

6. Il a commencé à le faire.

     _____

7. Les gardes les ont vus de temps en temps.

     _____

8. Je voulais croire Antigone.

     _____

9. Parfois tu mérites d'être punie, Antigone.

     _____

10. Vous avez déjà lu le mythe d'Œdipe.

     _____

**E. Écris trois phrases originales.
Chacune doit contenir deux expressions négatives.**

     _____

     _____

     _____

R.K. PUBLISHING / NON-REPRODUCIBLE

Les expressions négatives, groupe 2

Réponds aux questions suivantes.

1. Quelle expression utilise-t-on pour parler des gens? Pour parler des lieux?

    _____

2. Quelle expression a deux formes? Pourquoi?

    _____

Je pratique

A. Écris les phrases suivantes au négatif en employant l'expression négative qui convient. Fais tous les changements nécessaires.

Exemple : Je vois des soldats partout.

Je **ne** vois **aucun** soldat **nulle part**.

1. Il y a quelqu'un à la porte.

    _____

2. Les Thébains allaient partout.

    _____

3. Créon ferait quelques proclamations.

    _____

4. Plusieurs Thébains entendraient cette histoire.

    _____

5. Le mythe d'Œdipe s'étudie partout.

    _____

6. Quelqu'un essaie d'enterrer Polynice.

    _____

B. Écris les phrases suivantes au passé composé.

Exemple : Aucun soldat n'arrête Antigone.

Aucun soldat n'**a arrêté** Antigone.

1. Personne ne sonne à la porte du palais.

_____

2. Ils ne se perdent nulle part.

_____

3. Antigone ne fait aucun essai.

_____

4. Ils ne parlent à personne.

_____

5. Elle ne va nulle part ce matin.

_____

6. Aucun garde ne la voit.

_____

C. Écris les phrases suivantes au négatif en employant l'expression négative qui convient. Fais tous les changements nécessaires.

1. Les nouvelles de cette tragédie vont se répandre partout.

_____

2. Nous aimerions relire quelques passages de la pièce.

_____

3. Tout le monde acceptera la décision de Créon.

_____

4. Plusieurs citoyens voudraient dire au revoir à Antigone.

_____

5. Antigone va se fier à tout le monde.

_____

R.K. PUBLISHING / NON-REPRODUCIBLE

6. Antigone pouvait se cacher quelque part.

_____

7. Je connaissais tout le monde à Thèbes.

_____

8. Nous aimerions voyager partout.

_____

9. Elle commence à dire plusieurs mensonges.

_____

10. Cette histoire a intéressé quelqu'un.

_____

11. Nous avons entendu cette histoire quelque part.

_____

12. Quelques Thébains aiment Antigone.

_____

D. À l'écoute
Écoute les questions.
Choisis l'expression négative convenable.

Choix : pas, plus, jamais, rien, personne, aucun(e), nulle part

1. _____

2. _____

3. _____

4. _____

5. _____

6. _____

7. _____

R.K. PUBLISHING / NON-REPRODUCIBLE

Les expressions négatives, groupes I et 2

A. Réponds au négatif en employant l'expression négative qui convient. Fais tous les changements nécessaires.

I. Voyez-vous quelque chose de bizarre?

_____

2. Connais-tu quelqu'un à Thèbes?

_____

3. Est-elle encore condamnée?

_____

4. Avez-vous jamais désobéi à un ordre?

_____

5. A-t-elle caché quelque chose?

_____

6. Qui a enterré Polynice?

_____

7. Est-ce que quelque chose s'est passé?

_____

8. Est-ce que quelqu'un est arrivé à Thèbes?

_____

9. Qui vont-ils voir?

_____

10. Que vont-ils faire?

_____

II. A-t-elle encore oublié ses responsabilités?

_____

12. Qui a un problème?

_____

13. Pense-t-elle à quelque chose?

_____

R.K. PUBLISHING / NON-REPRODUCIBLE

14. De qui Créon parle-t-il?

_____

15. À qui doit-elle obéir?

_____

16. Peut-elle s'échapper quelque part?

_____

17. De quoi a-t-elle besoin pour survivre?

_____

18. A-t-elle une chance de survivre?

_____

B. Complète le dialogue suivant en te servant des expressions négatives.

Créon : Où étais-tu ce matin?

Antigone : Je _ne suis allée nulle part_. Pourquoi?

Créon : Je sais que tu es allée enterrer ton frère!

Antigone : Qui vous a dit cela?

Créon : Ce sont mes trois gardes qui me l'ont dit. Qu'est-ce que tu as fait près du cadavre de ton frère?

Antigone : Je _____. De quoi m'accusez-vous?

Créon : À qui as-tu parlé ce matin?

Antigone : Je _____, sauf à ma sœur Ismène.

Créon : Antigone, pourquoi ne m'écoutes-tu pas? Tu sais que je t'aime. J'ai toujours été là pour toi.

Antigone : Ce n'est pas vrai! Vous _____ pour moi!

Créon : Antigone, je t'aime encore.

Antigone : Mais moi, je _____.

Créon : Ne parle pas comme ça. Tu es ma nièce. Je veux seulement te sauver.

Antigone : Vous ne voulez que me dompter!

Quelques autres expressions

Observe les phrases suivantes.

1. Créon n'aime ni Étéocle ni Polynice.

2. Ni Œdipe ni Jocaste ne savaient la vérité.

3. Polynice ne recevra ni honneurs ni tombeau.

Si on enlève les mots négatifs de ces phrases, avec quel mot faut-il les remplacer? _____

Après cette expression, que doit-on omettre devant le nom dans le troisième exemple? _____

Observe les phrases suivantes.

1. Antigone ne veut que couvrir le cadavre de son frère. (Elle ne veut rien d'autre.)

2. Créon ne veut que la paix.

L'expression *ne… que* n'est pas négative. C'est un synonyme de l'adverbe _____.

Je pratique

A. Écris le contraire des phrases suivantes.

1. J'aime le café et le thé.

    _____

2. Il y aura des chansons et des discours aux funérailles.

    _____

3. Antigone et sa sœur peuvent désobéir à Créon.

    _____

4. Ma sœur étudie le français et l'espagnol.

    _____

5. J'aime lire la poésie et les contes.

    _____

R.K. PUBLISHING / NON-REPRODUCIBLE

B. Écris les phrases suivantes en te servant de l'expression *ne... que*.

I. J'ai seulement cinq dollars.

_____

2. Nous pouvons seulement attendre.

_____

3. Il y avait seulement trois gardes.

_____

Ces deux expressions suivent *ne... personne, ne... aucun(e) et ne... nulle part* dans le deuxième groupe.

C. Écris les phrases suivantes au passé composé.

Exemple : Antigone ne parle que le grec.
Antigone n'**a parlé** que le grec.

I. Je ne vois que trois soldats près du cadavre.

_____

2. Elle ne boit que l'eau.

_____

3. Mon ami végétarien ne mange ni viande ni poisson.

_____

4. Elle n'aime ni les westerns ni les films d'horreur.

_____

Groupe 2	
+	-
tout le monde	**ne...personne**
tout	
quelqu'un	
qui	
quelque(s)	**ne...aucun(e)**
plusieurs	
partout	**ne...nulle part**
quelque part	
et	**ne... ni... ni**
* = seulement	**ne... que**

Je comprends   « Antigone », deuxième partie

Réponds aux questions suivantes.

I.   Que fera Créon pour persuader Antigone?

_____

2.   Quelle histoire lui racontera-t-il?

_____

3.   Comment étaient les rapports entre Antigone et ses frères? Les trouves-tu typiques?

_____

4.   Comment Antigone excuse-t-elle le comportement de ses frères?

_____

5.   Comment Antigone s'est-elle servie de la fleur?

_____

6.   Antigone ne veut pas croire ce que Créon lui dit au sujet de Polynice, mais à la fin il est évident qu'elle doit le croire. Comment l'auteur nous le montre-t-il?

_____

Vocabulaire

Trouve dans le passage un synonyme de :

I.   tu as une mauvaise opinion de moi _____

2.   couvert de sang _____

3.   se parlant tout bas _____

4.   se fâcher _____

5.   quelqu'un qui passe le temps à s'amuser _____

R.K. PUBLISHING / NON-REPRODUCIBLE

À l'écoute

A. Écoute Créon parler. Réponds aux questions suivantes.

1. Pourquoi Polynice s'est-il engagé dans l'armée argyenne?

   _____

2. Qui était son ennemi?

   _____

3. À qui Créon avait-il donné des funérailles?

   _____

4. Que révèle Créon à Antigone au sujet du « bon prince » Étéocle?

   _____

5. Pourquoi Créon a-t-il choisi Étéocle comme héros et Polynice comme traitre?

   _____

6. Pourquoi les deux cadavres étaient-ils méconnaissables?

   _____

7. Qu'est-ce que Créon ne sait pas?

   _____

8. Quelle est son attitude envers ce fait?

   _____

B. À ton avis, Antigone, changera-t-elle d'avis en apprenant ces nouvelles? Justifie ta réponse.

   _____

   _____

R.K. PUBLISHING / NON-REPRODUCIBLE

Je pratique   Les infinitifs négatifs

Élimine le deuxième sujet. Écris la phrase en te servant de l'infinitif passé.

Exemples : Je préfère que tu ne fasses rien. (deux sujets)
Je préfère **ne rien faire**. (un sujet)

Je préfère que tu ne dises rien à personne.
Je préfère **ne rien dire** à personne.

1. Je préfère qu'ils ne remplissent pas de formule.

   _____

2. Je préfère que vous ne restiez pas ici.

   _____

3. Je préfère que tu ne sortes pas.

   _____

4. Je préfère qu'elles ne boivent pas de café fort.

   _____

5. Je préfère que les enfants ne jouent pas dans la maison.

   _____

6. Je préfère que tu ne dises rien.

   _____

7. Je préfère que mon frère n'y aille jamais.

   _____

8. Je préfère que les autres ne cherchent l'argent nulle part.

   _____

R.K. PUBLISHING / NON-REPRODUCIBLE

Tâche riche I

Prépare l'entrevue ici.

Questions pour Créon	Questions pour Antigone
Pourquoi Antigone doit-elle mourir?	*Pourquoi voulez-vous mourir?*

Je comprends

« Au revoir, les enfants »

Raconte dans tes propres mots (une ou deux phrases) ce qui se passe dans chaque scène.

1. Dans le bureau du Père Jean

    _____

    _____

    _____

2. Une conversation pendant une promenade dans la petite ville

    _____

    _____

    _____

3. Aux bains-douches

    _____

    _____

    _____

4. Le dortoir la nuit

    _____

    _____

    _____

5. Première menace

    _____

    _____

    _____

6. Le danger est passé

    _____

    _____

    _____

R.K. PUBLISHING / NON-REPRODUCIBLE

7. Julien joue au détective

_____

_____

_____

8. L'interrogatoire

_____

_____

_____

9. Le serment du Père Jean

_____

_____

_____

10. La catastrophe

_____

_____

_____

R.K. PUBLISHING / NON-REPRODUCIBLE

Je mets en application

À deux, trouvez quelques citations du scénario qui illustrent les thèmes suivants.

#	Thèmes	Citations
1.	l'amitié	
2.	l'innocence	
3.	la perte	
4.	le regret	
5.	la violence	
6.	la terreur ou la peur	
7.	le mal	
8.	les secrets	
9.	la guerre	

R.K. PUBLISHING / NON-REPRODUCIBLE

Je mets en application...

Complète le diagramme de Venn ci-dessous.

Quelles sont les différences entre Julien et Bonnet?
Cette information s'écrit dans les secteurs du diagramme qui ne se touchent pas.

Quelles sont les similarités entre Julien et Bonnet?
Cette information s'écrit dans la partie du diagramme où les deux cercles se chevauchent.

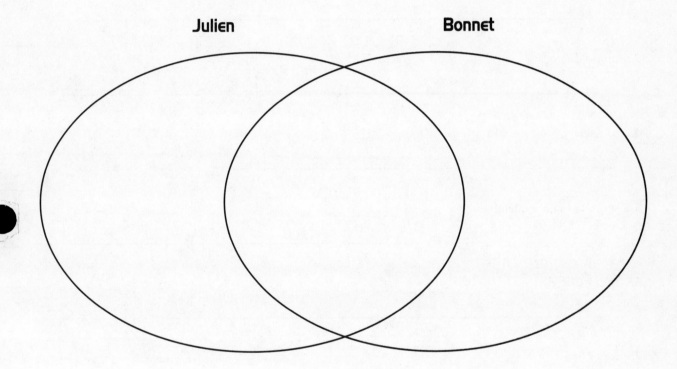

R.K. PUBLISHING / NON-REPRODUCIBLE

Vocabulaire

Utilise les mots ou les expressions suivants dans des phrases originales.

1. s'entendre bien avec

   _____

2. se plaindre

   _____

3. un oreiller

   _____

4. tousser

   _____

5. serrer la main à quelqu'un

   _____

6. rompre le silence

   _____

7. rester figé

   _____

8. un dortoir

   _____

R.K. PUBLISHING / NON-REPRODUCIBLE

Je mets en application...

A. Relis les 10 scènes de ton texte et essaie de trouver les phrases qui incluent « regard / regarder ».

Exemple :
Scène 1 : « Le prêtre le <u>regarde</u> avec un léger sourire. »

Scène 4 : _____

Scène 5 : _____

Scène 5 : _____

Scène 5 : _____

Scène 6 : _____

Scène 7 : _____

Scène 9 : _____

Scène 10 : _____

Scène 10 : _____

Scène 10 : _____

Scène 10 : _____

Scène 10 : _____

Scène 10 : _____

R.K. PUBLISHING / NON-REPRODUCIBLE

B. Dans un film, le cinéaste réussit à nous révéler les pensées ou les réactions des personnages à certains événements sans avoir besoin de se servir de mots. Dans les exemples que tu as trouvés ci-dessous, le dialogue est remplacé par les regards qui transmettent ce qui n'a pas été dit.

Avec un partenaire, choisissez cinq de ces exemples et essayez de recréer ce qui n'a pas été dit à haute voix :

Exemple :
Scène 1 : Le Père Jean : « *J'espère que tout ira bien avec Bonnet, qu'il sera intégré au groupe, que Julien et Bonnet deviendront copains.* »

_____

_____

_____

_____

_____

C. Planifie ta lettre au Ministre de la Culture ici.

But de la lettre : _____

Nom de la personne ou des personnes à être honorée(s)

_____

La raison pour laquelle tu suggères cette personne

_____

_____

_____

Le lieu de la cérémonie et du monument. Et pourquoi?

_____

_____

Tu veux de l'aide?

Consulte la page 95 de ton Livre pour savoir comment écrire une lettre.

R.K. PUBLISHING / NON-REPRODUCIBLE

Je pratique   Peut-être et Peut-être que...

Écris les phrases suivantes pour montrer une possibilité.
Utilise *peut-être* ou *peut-être que*. Écris chaque phrase dans trois formes différentes.

Exemple : Il s'est perdu.
    a) Il s'est **peut-être** perdu. • b) **Peut-être** qu'il s'est perdu. • c) S'est-il perdu? **Peut-être**.

I.   Les miliciens sont dangereux. _____

_____

_____

2.   Le Père Jean risque sa vie. _____

_____

_____

3.   Jean Bonnet est juif. _____

_____

_____

4.   Julien sait la vraie identité de Bonnet. _____

_____

_____

5.   On cherche monsieur Moreau. _____

_____

_____

6.   Les autres garçons dénonceront Bonnet. _____

_____

_____

7.   Le professeur de grec a compris la situation. _____

_____

_____

8.   Les alliés arriveront bientôt. _____

_____

_____

R.K. PUBLISHING / NON-REPRODUCIBLE

EXPRESS 12ᴱ

Tâche riche 2

Prépare ton travail ici.

Le personnage que j'ai choisi : _____

Tout ce que je sais : _____
_____
_____

Les trois incidents choisis : _____
_____
_____

Incident 1	Incident 2	Incident 3
Réactions :	**Réactions :**	**Réactions :**
Émotions :	**Émotions :**	**Émotions :**
Questions :	**Questions :**	**Questions :**

R.K. PUBLISHING / NON-REPRODUCIBLE

Je comprends   Pourquoi sommes-nous si moutons?

Avant de lire l'article :

Voici les questions que le journaliste a posées au philosophe. Avant de lire l'article, essaie, seul(e) ou avec un ou une partenaire, de répondre aux mêmes questions. Écris tes idées en mots-clés. Ensuite, lis l'article pour voir si tes idées sont pareilles à celles de l'expert.

1. Pourquoi certaines personnes sont-elles incapables de prendre le téléphone pour appeler la police quand une jeune femme se fait attaquer sous leur fenêtre?

_____

_____

_____

2. Fait-on le mal par indifférence ou par faiblesse?

_____

_____

_____

3. Pourquoi sommes-nous si moutons?

_____

_____

_____

4. Certaines personnes, pourtant, viennent facilement à l'aide d'autrui. Qu'est-ce qui les distingue des autres?

_____

_____

_____

5. La gravité des circonstances peut-elle pousser certains à dire non à l'autorité, à se rebeller?

_____

_____

_____

6. On peut donc apprendre à dire non?

_____

_____

_____

R.K. PUBLISHING / NON-REPRODUCIBLE

Tâche finale

Prépare ta dissertation ici.

Mon sujet : _____

Ma thèse : _____

Les idées à développer :

_____
_____
_____
_____
_____
_____
_____
_____
_____
_____
_____

Les citations :

_____
_____
_____
_____
_____
_____
_____
_____
_____

R.K. PUBLISHING / NON-REPRODUCIBLE

UNITÉ 5

Je t'aime, je ne t'aime plus!

Je discute

L'amour est toujours un thème très populaire dans l'Art.
Quelle est ton œuvre d'art préférée qui a trait à l'amour?
Considère les genres suivants :

1. roman _____

2. film _____

3. poème _____

4. chanson _____

5. peinture _____

6. sculpture _____

À deux, comparez vos choix.

R.K. PUBLISHING / NON-REPRODUCIBLE

Je comprends   Rupture

A. Trouve aux pages 186 et 187 de ton Livre les synonymes des mots suivants.

1. beaucoup _____

2. tout à coup; soudain _____

3. se détacher de _____

4. remarque _____

5. une situation où il faut faire quelque chose pour ne pas payer cher _____

6. quelqu'un d'important dans une entreprise _____

7. la rue _____

8. dans un autre endroit _____

9. courageusement _____

10. une personne qui cause des difficultés _____

11. très fatigué _____

12. la distribution des lettres _____

13. soigneusement _____

14. faire les choses avec un soin extrême _____

B. Réponds aux questions suivantes.

1. Quelle est l'attitude de l'homme envers les femmes?
   Trouve des exemples dans le passage pour justifier ta réponse.

   _____

2. De quoi l'homme pense-t-il les femmes capables quand on essaie de les quitter?

   _____

3. Comment l'auteure utilise-t-elle le mot *intrépidement* pour décrire les actions de l'homme?
   Explique ta réponse.

   _____

4. Pourquoi l'homme a-t-il passé presque toute la nuit à écrire sa lettre?

   _____

5. Pourquoi a-t-il dit à son copain Jean de dire qu'il n'était pas là si une femme lui téléphonait?

   _____

6. Comment s'est-il expliqué l'absence d'un coup de téléphone de la part de la femme?

   _____

Je comprends (pages 188-190)

I. Trouve des exemples qui montrent que le narrateur s'ennuie facilement et souvent.

_____

_____

2. Quelles explications l'homme se donne-t-il pour l'absence d'une réponse de la part de la femme?

_____

_____

3. Quelle explication ne se donne-t-il pas? Pourquoi, à ton avis?

_____

_____

4. Après avoir téléphoné chez la femme, de quoi a-t-il peur? Qu'a-t-il fait?

_____

_____

5. Comment l'action d'écrire sa deuxième lettre a-t-elle changé l'homme?

_____

_____

6. La réaction de l'homme à la réponse est-elle une surprise ou non? Justifie ta réponse.

_____

_____

_____

_____

_____

R.K. PUBLISHING / NON-REPRODUCIBLE

Vocabulaire

Remplace les mots soulignés par un synonyme dans le passage. Fais les changements nécessaires.

1. Il <u>mangea</u> deux biscottes <u>lentement comme un lapin mange une carotte</u>.

   _____

2. Il mangea aussi <u>un petit morceau</u> de fromage.

   _____

3. Il <u>commença</u> à lire.

   _____

4. Il n'aime pas beaucoup les auteurs <u>de nos jours</u>.

   _____

5. Ma décision <u>ne peut pas être changée</u>.

   _____

6. <u>La personne qui apporte les lettres à la maison</u> n'est pas encore arrivée.

   _____

7. Tu ne veux pas écrire des <u>choses stupides</u>.

   _____

8. Il <u>mit</u> son veston.

   _____

9. Le voilà sur <u>la partie de la rue où les piétons marchent</u>.

   _____

10. Il est allé à <u>l'immeuble</u> où la femme habitait.

   _____

11. Il commença à <u>marcher nerveusement</u>.

   _____

12. Il n'est pas <u>stupide</u>.

   _____

13. Elle va le laisser <u>attendre pour le punir</u>.

   _____

14. Il ne va pas <u>la blâmer</u> si elle est fâchée.

   _____

15. Il est devenu <u>un de ces hommes qui déteste toutes les femmes</u>.

   _____

À l'écoute

A. Écoute le passage suivant et complète les tirets avec le ou les mots qui manquent.

Jean nous raconte ce qui est arrivé à son ami le journaliste après sa rupture.

Je ne sais pas ce qui lui a pris, mais un jour, comme ça, il a décidé _____. Il a

dit que l'amour l'avait laissé _____. Tu parles! Il en a fait tout un cas. Il a cru

qu'elle allait faire du _____, qu'elle allait pleurer et crier… Ça lui a pris toute la nuit

ou presque à écrire _____. Il m'a même demandé de répondre au téléphone

pour lui. On ne savait jamais. Sa mère a appelé, le patron, _____. Quelle

aventure, et ce n'était pas tout. Il a refusé d'aller dîner avec moi et il est rentré chez lui. Il n'a même pas pu

lire son livre, il entendait du bruit partout, sur _____, à l'étage au-dessus de chez

lui, et j'en passe. Il a pris des _____ pour pouvoir dormir.

Le lendemain, nous sommes allés au cinéma ensemble. Il attendait cette réponse qui ne venait pas. Il

_____ de dépit. Il était complètement _____. Il a pensé qu'elle avait dû

s'absenter pour ne pas lui avoir répondu. Il a déguisé sa voix et a appris qu'elle était sortie. Il

_____ son veston et a couru voir où elle était passée. Il a fait _____

devant son adresse sans jamais la voir.

Finalement, il lui a écrit une lettre dans laquelle _____. Six

pages, tu t'imagines? Quelle surprise quand il a eu la réponse. Ça n'a pas tardé, _____

au milieu du papier : « Non, trop tard. »

Il déteste les femmes maintenant, il est devenu _____. Que c'est triste. Nous

sommes encore copains, mais parfois il est dur à avaler, surtout quand on lui demande pourquoi.

B. Que penses-tu du récit de Jean?
Donne ton opinion en phrases complètes.

_____

_____

_____

_____

R.K. PUBLISHING / NON-REPRODUCIBLE

Je mets en application

A. **À deux, écrivez une conversation dans laquelle la femme parle à un ami ou une amie au sujet de la première lettre qu'elle vient de recevoir. Préparez la conversation ici. Ensuite, présentez-la à un autre groupe ou à la classe.**

Quelles questions l'ami(e) posera-t-il/posera-t-elle?

_____

_____

_____

Que dira la femme au sujet de la lettre?

_____

_____

_____

_____

Que dira-t-elle au sujet de l'homme?

_____

_____

_____

Qu'a-t-elle décidé de faire?

_____

_____

B. **Quand l'homme écrit sa deuxième lettre, est-il possible qu'il ait découvert qu'il aime vraiment la femme et qu'il ne peut pas vivre sans elle? Faites vos listes ici.**

Pour	Contre

Je pratique   Le pronom interrogatif *lequel*

A. **Complète les phrases suivantes avec le bon pronom interrogatif :**
lequel, laquelle, lesquels, lesquelles

Exemple : J'aimerais des fruits.
          Lesquels?

1.   Choisis un autre livre. _____?

2.   _____ de tes amis vas-tu rencontrer?

3.   Vous voulez voir une pièce de théâtre? _____?

4.   J'achèterai des robes. _____?

5.   Il a vu un ami au parc. _____?

6.   Ce sont de vieux compagnons. _____?

7.   _____ de ces disques préfères-tu?

8.   Rends-moi mes articles. _____?

9.   Tu as vu cette femme? _____?

10.   Allons à ce restaurant. _____?

11.   Peux-tu m'acheter des feutres? _____?

12.   Je prendrais une bonne tasse de café. _____?

B. **À ton tour! Écris quatre phrases originales avec les pronoms interrogatifs :**
lequel, laquelle, lesquels et *lesquelles*

1.   _____

2.   _____

3.   _____

4.   _____

R.K. PUBLISHING / NON-REPRODUCIBLE

C. Réponds aux questions suivantes avec le bon pronom interrogatif :
duquel, de laquelle, desquels, desquelles, auquel, à laquelle, auxquelles.

Exemple : Le journaliste ne répond qu'à certains appels.
   Auxquels répond-il?

1. La jeune femme refuse de parler au sujet d'un certain homme.

   _____ refuse-t-elle de parler?

2. Nous avons répondu à une annonce.

   _____ avez-vous répondu?

3. Pour qu'il soit heureux, je répondrai à une de ses lettres.

   _____ répondras-tu?

4. Il rêvait d'un amour impossible.

   _____ rêvait-il?

5. Il a entendu parler de voyages fantastiques.

   _____ a-t-il entendu parler?

6. Elles achètent leurs repas à un bistrot français.

   _____ achètent-elles leur repas?

7. Tu lui parleras de quelques-unes de tes amies.

   _____ lui parlerai-je?

8. Je refuse de répondre à certaines questions.

   _____

   refuses-tu de répondre?

À l'écoute

Écoute les phrases suivantes. Choisis le bon pronom interrogatif pour y répondre. Écris la lettre la lettre correcte.

(A) Duquel? • (B) De laquelle? • (C) Desquels? • (D) Desquelles?
(E) Auquel? • (F) À laquelle? • (G) Auxquels? • (H) Auxquelles?

I. _____   2. _____   3. _____   4. _____   5. _____   6. _____   7. _____   8. _____

Tâche riche I

Prépare ton travail ici.

Le personnage que j'ai choisi : _____

Son choix : _____

_____

_____

_____

Bon ou mauvais choix? Justifie ta réponse.

a) Pour le personnage _____

_____

_____

b) Pour l'autre personnage _____

_____

_____

Les conséquences de ce choix : _____

_____

_____

R.K. PUBLISHING / NON-REPRODUCIBLE

Saviez-vous?

« Cyrano de Bergerac », l'homme, l'écrivain, l'homme de guerre

À l'écoute. Écoute une élève faire une présentation sur la vie de Cyrano de Bergerac. Réponds aux questions suivantes. Ensuite, lis le *Saviez-vous?* dans ton Livre et vérifie tes réponses. À ton avis, l'élève a-t-elle mis beaucoup de travail à la préparation de son exposé? Explique.

1. En quelle année Cyrano est-il né? _____

2. Quel âge avait-il quand il est devenu soldat? _____

3. Quelle était son attitude envers la discipline de l'armée?

   _____

4. Combien d'années a-t-il passées dans l'armée? _____

5. Pourquoi a-t-il quitté l'armée? _____

6. Qu'a-t-il fait après? _____

7. Donne deux exemples de genres écrits par Cyrano. _____

8. Quelle était l'importance de la lune et du soleil dans la vie de Cyrano?

   _____

9. Selon Cyrano, qu'est-ce qu'un « honnête homme »?

   _____

10. Que représentait l'argent pour Cyrano? _____

11. Comment ses amis le trouvaient-ils? _____

12. À quel âge est-il mort et comment? _____

13. Qui était Edmond Rostand? _____

14. Qu'a fait Rostand? _____

15. Quelle est la partie centrale de la pièce de Rostand?

    _____

16. Comment pouvait-on reconnaître Cyrano dans la rue?

    _____

« Cyrano de Bergerac », Acte III, Scène VII

Réponds aux questions suivantes.

I.   Comment et pourquoi l'attitude de Roxane envers Christian change-t-elle?

   _____

2.   Quelle référence à la mythologie grecque Cyrano fait-il? Que veut-il dire par cette référence?

   _____

3.   Où voit-on l'ironie dans la réplique de Roxane : C'est vrai que vous avez une toute autre voix?

   _____

4.   Quand Cyrano parle de sa peur d'être raillé de quoi parle-t-il?

   _____

5.   Examine les mots de Cyrano qui commencent par : « Laissons, d'un seul regard… »
   Que veut-il que Roxane comprenne?

   _____

6.   Quand Roxane écoute Cyrano parler sans artifice, de quoi se rend-elle compte?
   À ton avis, pourquoi répond-elle d'une voix troublée?

   _____

7.   À ton avis, qu'allait demander Cyrano quand Christian l'a interrompu?

   _____

8.   Pourquoi Christian a-t-il demandé un baiser à ce moment-là? Explique.

   _____

R.K. PUBLISHING / NON-REPRODUCIBLE

Je mets en application

Cette scène est-elle comique ou tragique? À deux, considérez cette question du point de vue des trois personnages et des spectateurs dans le théâtre. Faites une liste pour justifier votre opinion. Comparez votre liste à celle d'un autre groupe.

Comique	Tragique

R.K. PUBLISHING / NON-REPRODUCIBLE

Vocabulaire

Explique dans tes propres mots.

I.   Aussi l'ai-je tenté, mais… tentative nulle

_____

_____

2.   Mais pourquoi parlez-vous de façon peu hâtive?

_____

_____

3.   On se devine à peine.

_____

_____

4.   Moi je ne suis qu'une ombre, et vous qu'une clarté!

_____

_____

5.   …car dans la nuit qui me protège j'ose enfin être moi-même.

_____

_____

6.   Je pars pour décrocher l'étoile, et je m'arrête par peur du ridicule, à cueillir la fleurette!

_____

_____

7.   Mais maintenant ce serait insulter cette nuit, ces parfums, cette heure, la Nature,
     que de parler comme un billet doux de Voiture!

_____

_____

8.   Chaque regard de toi suscite une vertu nouvelle, une vaillance en moi!

_____

_____

R.K. PUBLISHING / NON-REPRODUCIBLE

Je comprends « Cyrano de Bergerac », Scènes VIII, IX et X

1. Explique dans tes propres mots la définition du mot *baiser* que Cyrano donne. Es-tu d'accord avec lui? Explique.

    _____

2. Explique l'ironie dans les mots de Cyrano : *C'est vrai, je suis beau, j'oubliais!*

    _____

3. Choisis trois adjectifs qui décrivent chacun des trois personnages. Explique tes choix.

    _____

À l'écoute

A. Écoute les phrases suivantes et indique si elles sont vraies ou fausses.

Exemple:

Vrai	Faux
1. _____	_____**X**_____

Vrai	Faux
1. _____	_____
2. _____	_____
3. _____	_____
4. _____	_____
5. _____	_____
6. _____	_____
7. _____	_____
8. _____	_____
9. _____	_____
10. _____	_____

R.K. PUBLISHING / NON-REPRODUCIBLE

B. Corrige les erreurs.

1. _____

2. _____

3. _____

4. _____

5. _____

6. _____

7. _____

8. _____

9. _____

10. _____

Je comprends   Les conjonctions suivies du subjonctif

1. Observe les exemples dans ton Livre. Fais une liste des conjonctions qui sont suivies du subjonctif.

_____

_____

_____

2. Lesquelles ajoutent le mot _ne_ devant le verbe?

_____

R.K. PUBLISHING / NON-REPRODUCIBLE

Je pratique

A. Complète les phrases suivantes au subjonctif présent.

Exemple : Bien que Cyrano _____ Roxane, c'est un amour impossible. (aimer)

Bien que Cyrano *__aime__* Roxane, c'est un amour impossible.

1. Les amis viendront **quoique** le temps _____ mauvais. (être)

2. Il pourra écrire la lettre à sa bien-aimée **pourvu qu'**il _____ le temps. (avoir)

3. **De peur que** je ne _____ d'erreurs, j'ai bien appris mon rôle. (faire)

4. Je ne viendrai pas **à moins que** tu ne m'_____. (inviter)

5. Il a fait ses devoirs **en attendant que** nous _____ le chercher. (venir)

6. Christian recevra le baiser de Roxane **bien que** Cyrano le _____. (mériter)

7. **Afin que** vous _____ réussir, il faut étudier. (pouvoir)

8. Nous nous réveillerons de bonne heure **de crainte**

    que nous ne _____ le train. (manquer)

9. **Sans que** tu me le _____, j'ai fait mes

    recherches. (dire)

10. Elles ont fait des plans **avant qu'**elles n'en

    _____ à leurs parents. (parler)

B. Joins les deux phrases en utilisant les conjonctions suivies du subjonctif.

Exemple : Cyrano se place sous le balcon. Il peut parler à Roxane. (afin que)

Cyrano se place sous le balcon **afin qu**'il *puisse* parler à Roxane

1. Tu manges sainement. Tu maigris. (pour que)

_____

2. Roxane est heureuse. Christian monte au balcon. (en attendant que)

_____

3. Ma mère se tait. Mon père arrive. (jusqu'à ce que)

_____

4. Vous sortirez ce soir. Vous n'êtes pas prêtes. (bien que)

_____

5. Les mousquetaires seront contents. Ils peuvent gagner. (pourvu que)

_____

6. Cyrano se cache dans l'ombre. Roxane ne le voit. (de peur que)

_____

C. Il y aussi des conjonctions qui ne sont pas suivies du subjonctif. Écris la bonne forme du verbe entre parenthèses. Consulte ta liste de conjonctions suivies du subjonctif avant de décider si tu as besoin du subjonctif ou de l'indicatif.

1. (savoir) Cyrano parle pour Christian <u>parce qu</u>'il _____ que le langage de Christian ne plaira pas à Roxane.

2. (rendre) Cyrano se cache sous le balcon <u>afin que</u> Roxane ne se _____ pas compte de ce qui se passe.

3. (pouvoir) Roxane appréciera les beaux mots de Christian <u>pourvu qu</u>'elle ne _____ pas voir qui les déclare.

4. (faire) Cyrano parle <u>pendant que</u> Christian _____ les gestes appropriés.

5. (aller) Cyrano donne de mauvaises directions au capucin <u>pour que</u> celui-ci _____ autre part.

6. (être) <u>Puisqu'il</u> _____ trop difficile de chuchoter les mots à Christian, Cyrano parle pour lui.

7. (croire) Cyrano dit ce qu'il ressent dans son cœur, <u>tandis que</u> Roxane _____ que Christian parle.

8. (se rendre compte) Cyrano révèle ses vraies émotions <u>sans que</u> Christian _____ de ce qui arrive.

R.K. PUBLISHING / NON-REPRODUCIBLE

D. Fais des phrases au subjonctif présent en mettant les parties de chaque colonne ensemble.

Exemple : Je voudrais travailler **avant que** nous ne *partions* ensemble.

~~Je voudrais travailler~~	~~avant que ne~~	~~partir ensemble/nous~~
Ils iront au cinéma	bien que	arriver trop tard /il
Vous n'irez nulle part	pourvu que	trouver un bon film/ils
Jacques sortira du restaurant	à moins que ne	finir votre travail /vous
Suzanne partira à temps	de crainte que ne	ne pas manquer le train /elle
Mes parents seront patients	sans que	faire des efforts /tu
Tu devras nettoyer la maison	de peur que ne	devoir arriver bientôt /les amis
Je ne peux réussir	en attendant que	être là /tu
Tu ne changeras pas ta note si vite	pour que	aller à la plage/ vous
	quoique	choisir un métier /ma sœur
Elles sortiront	afin que	nous endormir/nous
Ne regardons pas ces films		

1. _____

2. _____

3. _____

4. _____

5. _____

6. _____

7. _____

8. _____

9. _____

10. _____

À l'écoute

Écoute les phrases suivantes.
Coche si le verbe après la conjonction est à l'indicatif ou au subjonctif.

Indicatif	Subjonctif
_____	_____
_____	_____
_____	_____
_____	_____
_____	_____
_____	_____
_____	_____
_____	_____

Je mets en application

Une compagnie de théâtre présente *Cyrano de Bergerac* et tu as reçu une paire de billets en cadeau. Écris cinq phrases pour décrire ce que tu feras avant d'aller au spectacle. Utilise des conjonctions suivies du subjonctif dans tes phrases.

Exemple : *Je demanderai à ma professeure de français d'expliquer la pièce de peur que je ne la comprenne pas.*

_____
_____
_____
_____
_____
_____
_____
_____

R.K. PUBLISHING / NON-REPRODUCIBLE

Tâche riche 2

Avec un ou une partenaire, comparez la scène du balcon de *Cyrano de Bergerac* à *Roméo et Juliette*. Qu'est-ce qui est semblable, qu'est-ce qui est différent? Comment? Laquelle préférez-vous et pourquoi?

Fais un diagramme de Venn pour comparer *Cyrano de Bergerac* à *Roméo et Juliette* : ce qu'ils ont en commun, ce qui les sépare.

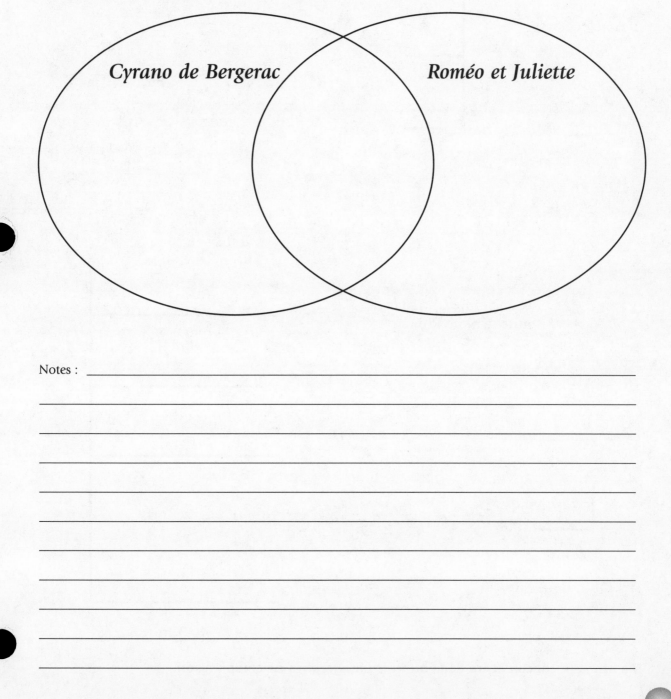

Cyrano de Bergerac   *Roméo et Juliette*

Notes : _____

_____

_____

_____

_____

_____

_____

_____

_____

_____

_____

Dans un autre organigramme, organisez vos idées.

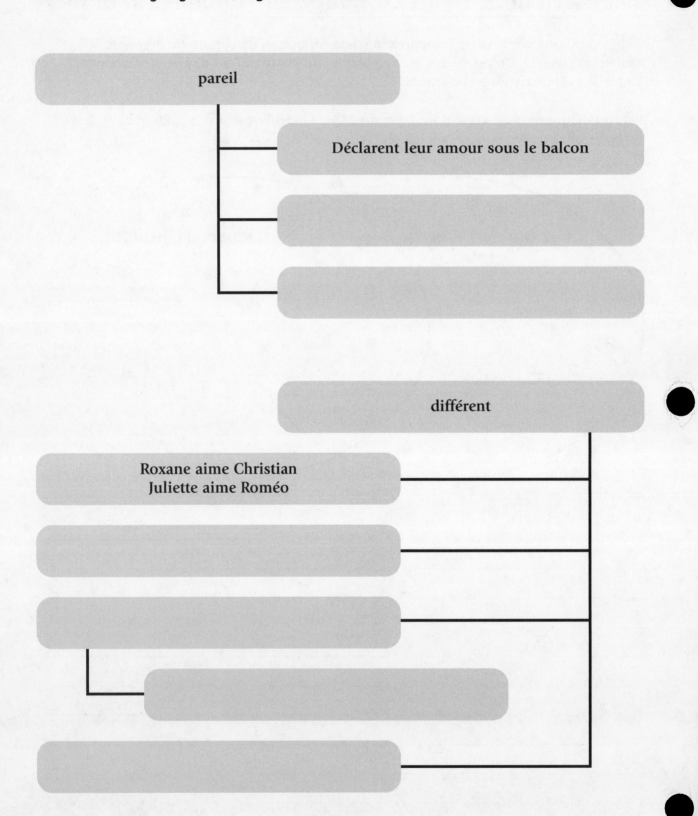

pareil

Déclarent leur amour sous le balcon

différent

Roxane aime Christian
Juliette aime Roméo

Maintenant, chacun écrira deux ou trois paragraphes de comparaison.

R.K. PUBLISHING / NON-REPRODUCIBLE

Je comprends   Le goût des rondelles d'oignon

I.   Comment l'auteure a-t-elle connu son cousin? Pourquoi n'avaient-ils pas été proches auparavant?

     _____

2.   Pourquoi la mère de l'auteure ne plaisait-elle pas à tout le monde?

     _____

3.   L'auteure et son cousin, qu'avaient-ils en commun?

     _____

4.   Pourquoi le jeune Sonny était-il bien connu dans le quartier?

     _____

5.   Pourquoi Sonny donne-t-il de l'argent à sa cousine pour acheter des cadeaux?

     _____

6.   Quelle tragédie est arrivée à Sonny et à son épouse?

     _____

Vocabulaire

Trouve les mots dans l'article.

I.   plus âgé _____

2.   une période de temps _____

3.   sans que personne ne la voie _____

4.   dire exactement ce qu'on pense _____

5.   un endroit _____

6.   un mariage _____

7.   l'église _____

8.   manquait _____

9.   des enfants difficiles _____

10. s'est mariée _____

II. qui manque beaucoup de dents _____

12. s'est sauvé rapidement _____

Je mets en application

Fais une liste de toutes les qualités de Sonny que l'auteure admire. Compare ta liste à celle de ton ou de ta partenaire. Aimerais-tu connaître quelqu'un comme Sonny? Explique.

_____

_____

_____

_____

_____

Je comprends   « Quand vous serez bien vieille » de Ronsard

I.   Comment le poète voit-il Hélène à l'avenir?

_____

2.   Comment se voit-il?

_____

3.   Comment le monde se souviendra-t-il de Ronsard?

_____

4.   Pourquoi se souviendra-t-il d'Hélène?

_____

5.   Comment Hélène avait-elle réagi à l'amour du poète?

_____

6.   Que lui recommande-t-il? Que veut-il dire par cela?

_____

R.K. PUBLISHING / NON-REPRODUCIBLE

Je comprends   « Mignonne, allons voir si la rose » de Ronsard

I.   Pourquoi le poète invite-t-il la femme à aller voir la rose?

_____

2.   Que vont-ils découvrir?

_____

3.   Selon le poète, quelle est la morale pour la femme?

_____

Je comprends   « Quand les roses » de Salvatore Adamo

I.   Comment sais-tu que le poète parle d'un temps passé?

_____

2.   De quoi parle le poète en disant « le temps des flocons »?

_____

3.   Comment le monde a-t-il changé?

_____

R.K. PUBLISHING / NON-REPRODUCIBLE

Je mets en application

Trouve toutes les références aux roses dans les trois poèmes et explique comment les poètes les utilisent dans chaque cas.

Poème	Référence	Explication
Exemple : *Quand vous serez…*	Cueillez dès aujourd'hui <u>les roses de la vie</u>	Le poète utilise la rose pour parler des choses qui donnent le bonheur mais qui sont éphémères.

R.K. PUBLISHING / NON-REPRODUCIBLE

Les expressions de temps

Réponds aux questions suivantes. Vérifie les exemples dans ton Livre.

1. Si une action a commencé au passé et continue au moment d'en parler, quel temps de verbe utilise-t-on?

   _____

2. Quelles expressions utilise-t-on devant le mot qui représente le temps?

   _____

3. Si l'action a commencé au passé, a continué, mais a fini avant le moment d'en parler, quel temps de

   verbe utilise-t-on? _____

4. Quelles expressions utilise-t-on devant le mot qui représente le temps?

   _____

Je pratique

> **Tu veux de l'aide?**
> Observe les exemples dans ton Livre.

A. Écris les phrases suivantes en te servant des expressions *voilà*, *il y a* et *ça fait*.

1. Marcelle prend des leçons de piano depuis cinq ans. _____

   _____

   _____

   _____

2. Nous travaillons ensemble depuis trois mois. _____

   _____

   _____

   _____

3. Les enfants jouent dehors depuis une heure. _____

   _____

   _____

R.K. PUBLISHING / NON-REPRODUCIBLE

B. Écris les phrases suivantes en te servant de l'expression *depuis*.

1. Voilà une heure que ma sœur parle à son petit ami.

   _____

2. Ça fait deux mois que nous étudions ce roman.

   _____

3. Il y a une heure que j'attends le dentiste.

   _____

C. Utilise les éléments donnés pour composer des phrases où l'action continue toujours. Varie les expressions de temps que tu utilises.

Exemple : grand-père… dormir… devant la télé… une heure

Grand-père dort devant la télé depuis une heure. OU
Voilà/Ça fait/Il y a une heure que grand-père dort devant la télé.

1. Gérard… étudier… pour son examen… quatre heures

   _____

2. Maman… vendre… des maisons… trois ans

   _____

3. Mon père… entraîner… l'équipe de hockey… cinq ans

   _____

4. Catherine et Luc… sortir ensemble… cinq mois

   _____

5. Mes parents… être mariés… vingt-deux ans

   _____

D. Mets les phrases suivantes à l'imparfait. Fais tous les changements nécessaires.

Exemple : Ça fait une heure que je dors.
          Ça faisait une heure que je dormais.

1. Marcelle prend des leçons de piano depuis cinq ans.

   _____

2. Nous travaillons ensemble depuis trois mois.

   _____

R.K. PUBLISHING / NON-REPRODUCIBLE

3. Les enfants jouent dehors depuis une heure.

   _____

4. Voilà une heure que ma sœur parle à son petit ami.

   _____

5. Ça fait deux mois que nous étudions ce roman.

   _____

6. Il y a une heure que j'attends le dentiste.

   _____

À l'écoute

A. Écoute la conversation entre Sacha et Lauren. Réponds aux questions suivantes.

1. Quel poète les élèves étudient-ils? _____

2. Qu'est-ce que Sasha n'aime pas? _____

3. Depuis combien de temps étudient-ils *Mignonne, allons voir…*? _____

4. Depuis quand Lauren préfère-t-elle les poètes du seizième siècle?

   _____

5. Que veut faire Lauren plus tard? _____

6. Qu'aime Sacha dans ces poèmes? _____

7. Depuis combien de temps les amis se parlent-ils? _____

8. Que doivent-ils faire? _____

9. Comment Sacha trouve-t-il le poète? _____

10. Qu'a perdu la fille du poème? _____

11. Comment Lauren trouve-t-elle le deuxième poème? _____

12. Quelle expression est associée à ces deux poèmes? _____

B. **Es-tu d'accord avec les opinions exprimées par les amis?**
Trouves-tu le poète arrogant? Trouves-tu le poème *Quand vous serez bien vieille*
déprimant? Justifie ton opinion.

_____

_____

_____

_____

_____

_____

Je pratique

A. **Complète les phrases suivantes avec une idée logique qui contient une expression de temps (*depuis, voilà, il y avait, ça faisait*) et un verbe à l'imparfait. Varie les expressions de temps que tu utilises.**

Exemple : _____ quand ma mère est arrivée.
        J'étais à la maison depuis cinq minutes quand ma mère est arrivée.
OU **Voilà cinq minutes que j'étais à la maison** quand ma mère est arrivée.
OU **Il y avait cinq minutes que j'étais à la maison** quand ma mère est arrivée.
OU **Ça faisait cinq minutes que j'étais à la maison** quand ma mère est arrivée.

1. _____ quand mes amis sont sortis.

2. _____ quand tu m'as dit au revoir.

3. _____ quand il a téléphoné à son père.

4. _____ quand la professeure a dit : « Ça suffit! »

5. _____ quand il a fini son projet.

6. _____ quand vous avez lu un poème de Ronsard.

7. _____ quand nous sommes rentrés chez nous.

8. _____ quand les filles sont parties en promenade.

9. _____ quand ma voisine m'a parlé.

10. _____ quand j'ai mis le CD d'Adamo.

11. _____ quand tu as décidé de sortir.

12. _____ quand ils ont eu des nouvelles de leurs amis.

R.K. PUBLISHING / NON-REPRODUCIBLE

Je pratique

A. Réponds aux questions suivantes en te servant des expressions de temps *depuis, voilà, ça fait* OU *ça faisait, il y a* OU *il y avait*.

Exemple : Depuis quand Ronsard aimait-il Hélène quand il a écrit son poème?   (longtemps)

Ronsard aimait Hélène depuis longtemps quand il a écrit son poème.

1. Combien de siècles y a-t-il que Ronsard est mort? (cinq siècles)

   _____

2. Voilà combien de temps que tu travailles à ce projet? (trois heures)

   _____

3. Ça fait combien d'années que vous êtes à l'école secondaire? (quatre ans)

   _____

4. Depuis quand attendiez-vous le prof quand vous avez décidé de partir? (quinze minutes)

   _____

5. Voilà combien d'années que tu te préparais à cette épreuve? (deux ans)

   _____

6. Ça faisait combien de temps que Gabrielle sortait avec Adrien quand elle l'a quitté? (dix jours)

   _____

7. Voilà combien de temps que Luc travaillait au Centre Air Canada? (six mois)

   _____

8. Depuis quand habites-tu chez toi?

   _____

9. Ça fait combien de temps qu'elle n'a plus son mp3? (trois semaines)

   _____

10. Il y a combien de temps que tu as cette photo? (quinze jours)

    _____

B. **Écris des phrases avec il y a + le temps pour montrer quand tu as fait les choses suivantes.**

Exemple : acheter... ton mp3

J'ai acheté mon mp3 <u>il y a</u> une semaine.

1. recevoir... ton permis de conduire

_____

2. finir... ta dissertation

_____

3. changer... d'avis sur la poésie

_____

4. te procurer... ton cellulaire

_____

5. apprendre à... jouer du piano

_____

R.K. PUBLISHING / NON-REPRODUCIBLE

Tâche riche 3

Prépare ton article ici.

Les idées principales		
Quand vous serez bien vieille	*Mignonne, allons voir si la rose...*	*Quand les roses*

Le vocabulaire, les images et la structure des poèmes		

Ton opinion et tes recommandations		

R.K. PUBLISHING / NON-REPRODUCIBLE

Tâche finale

Prépare ton rôle ici.

Mon auteur(e) _____

Les détails biographiques _____

_____

_____

_____

_____

_____

_____

L'œuvre _____

_____

_____

_____

_____

_____

_____

Le but de l'auteur(e) en écrivant cette œuvre _____

_____

_____

_____

_____

Le succès de cette œuvre (L'auteur(e) a-t-il ou a-t-elle réalisé son but?) _____

_____

_____

_____

R.K. PUBLISHING / NON-REPRODUCIBLE

Lexique

nm : nom masculin
nf : nom féminin
pl : pluriel
pron : pronom

adj : adjectif
adv : adverbe
v : verbe
pp : participe passé

prép : préposition
conj : conjonction
interj : interjection
abr : abréviation

pop : langue populaire /informelle

a

l' abîme	nm	abyss
l' abri	nm	shelter
s' absenter	v	to go away
abstrait, abstraite	adj	abstract
accomplir	v	to accomplish
d' accord; être d'accord	expr	to be in agreement, to agree
accueillir	v	to welcome
achever	v	to make, to complete
actuel, actuelle	adj	current, at present
l' adversaire	nmf	opponent
les affaires	nfpl	belongings
afficher	v	to post
affreux, affreuse	adj	frightful
l' affront	nm	insult
affût: à l'affût de	expr	lying in wait
afin que	conj	so that
agacer	v	to irritate
aigu, aigüe	adj	sharp
l' air	nm	song
air: en plein air	expr	out of doors
aller bien à quelqu'un	expr	to suit someone
l' âme	nf	soul
améliorer	v	to improve
l' amende	nf	fine
amener	v	to bring someone
l' amitié	nf	friendship
amoureux, amoureuse	adj	in love
ancien, ancienne	adj	former (before the noun); old (after the noun)
l' angoisse	nf	anguish
l' animateur, animatrice	nmf	host of a program
annoncer	v	to announce
l' appareil-photo	nm	camera
appartenir	v	to belong
l' appel	nm	salutation of a letter; telephone call
appel: faire appel à	expr	to appeal to
apporter	v	to bring
approfondi, approfondie	adj	in-depth
appuyer	v	to support
l' aquarelle	nf	watercolour
l' argent de poche	nm	pocket money; small change
l' argile	nf	clay
l' armée	nf	army
aromatique	adj	aromatic
arrêter	v	to arrest, to stop
artifice; sans artifice	expr	naturally
l' ascenseur	nm	elevator
l' asile d'aliénés	nm	psychiatric institution
l' assassinat	nm	assassination, murder
assommer	v	to knock out
l' atelier	nm	workshop
atteindre	v	to attain, to arrive at
atterrir	v	to land
aucun, aucune	adj	no
au-dessus de	prép	above
auparavant	adv	before
autrefois	adv	in the past
autrui	nm	another person
avaler: être dur à avaler	expr	to be hard to take
l' avenir	nm	future
l' avocat, avocate	nmf	lawyer

b

la baffe	nf (pop)	slap
la bague	nf	ring
la baie	nf	bay
la baignade	nf	swimming
les bains-douches	nmpl	public baths
le baiser	nm	kiss
le balcon	nm	balcony
la balle	nf	ball
la banque	nf	bank
la barre	nf	ridge
la barrière	nf	reef
le bâtiment	nm	building
se battre	v	to fight
bavarder	v	to chat, to gossip
les beaux-parents	nmpl	in-laws
le béton	nm	concrete
bien que	conj	although
le bijou	nm	jewel
le billet	nm	ticket
le billet doux	nm	love letter
la biscotte	nf	rusk, hard biscuit
le bistrot	nm	small restaurant
le bitume	nm	asphalt
blanchir	v	to bleach, to whiten
la blanchisseuse	nf	laundress
se blesser	v	to hurt oneself
le bloc	nm	block
la bohème: la vie de bohème	nf	non-traditional lifestyle
bohémien, bohémienne	adj	wild, undisciplined
boire	v	to drink
le bois	nm	wood
la boisson gazeuse	nf	soft drink
la bombe	nf	aerosol can
bomber	v	to spray paint
le bonheur	nm	happiness
la bonne	nf	maid
le bord	nm	edge
bouger	v	to move
le boulanger	nm	baker
la boulangerie	nf	bakery
la bourse	nf	scholarship
brandir	v	to brandish
le bras	nm	arm
bref, brève	adj	brief
brièvement	adv	briefly
briller	v	to shine
la brise	nf	breeze
briser	v	to break
la broche	nf	brooch
le bruit	nm	noise
se brûler	v	to burn oneself
brusquement	adv	sharply
le but	nm	goal

R.K. PUBLISHING / NON-REPRODUCIBLE

C

se cacher	**v**	to hide
le cadavre	**nm**	corpse
le cadre	**nm**	frame
la calotte brodée	**nf**	embroidered hat worn by males in parts of Africa
la campagne	**nf**	countryside, landscape
la cannette	**nf**	can (paint, soft drink)
le canotier	**nm**	boater
capricieux, capricieuse	**adj**	capricious, wilful
le caractère	**nm**	personality
caresser	**v**	to caress
caritatif, caritative	**adj**	charitable
la carrière	**nf**	career
le carton	**nm**	cardboard
casser	**v**	to break
cause: à cause de	**prép**	because of
cependant	**adv**	however
le cercueil	**nm**	coffin
le ceullulaire	**nm**	cell phone
le chalet	**nm**	cottage
se chamailler	**v**	to quarrel
le chameau	**nm**	camel
le champ	**nm**	field
le champ de bataille	**nf**	battlefield
la chance	**nf**	luck
le charpentier	**nm**	carpenter
la chasse	**nf**	hunt
le château; le château de sable	**nm**	castle; sand castle
le chaton	**nm**	kitten
le chauffeur	**nm**	driver
la chaussée	**nf**	road
le chef de cuisine	**nm**	cook
le chef-d'œuvre	**nm**	masterpiece
le chevalet	**nm**	easel
se chevaucher	**v**	to overlap
la chicane	**nf**	argument, fight
le choc	**nm**	shock
le choix	**nm**	choice
choqué, choquée	**adj**	schocked
chouette	**adj (pop)**	great
chuchoter	**v**	to whisper
le chum	**nm (pop)**	boyfriend (Can)
ci-dessous	**adv**	below
le cinéaste	**nm**	film-maker
le ciseau	**nm**	chisel
la citation	**nf**	quotation
clapoter	**v**	to lap (water)
la clarté	**nf**	light
clé: l'événement clé	**expr**	the main event
clos, close	**adj**	confined
le clou	**nm**	nail
cocher	**v**	to check
coiffer	**v**	to do someone's hair
la colère	**nf**	anger
coller	**v**	to glue
le collier	**nm**	necklace
la colline	**nf**	hill
la colo	**nf (pop)**	camp: abr. de "colonie de vacances"
la colonie de vacances	**nf**	camp
la colonne	**nf**	column
commander	**v**	to order
le commanditaire	**nm**	sponsor
le commerce	**nm**	business
le commis	**nm**	clerk
le commutateur	**nm**	switch
le compagnon	**nm**	companion
le comportement	**nm**	behaviour
compréhensif, compréhensive	**adj**	understanding
compromettre	**v**	to compromise
la concession	**nf**	property
le, la concierge	**nmf**	building supervisor
conclure	**v**	to conclude
le concours	**nm**	contest
le, la concurrent, concurrente	**nmf**	rival
condamner	**v**	to condemn
conférer	**v**	to give
confier	**v**	to entrust
le conflit	**nm**	conflict
confondre	**v**	to confuse
le, la conjoint, conjointe	**nmf**	partner
le conseil	**nm**	piece of advice
conseiller	**v**	to advise
conservateur, conservatrice	**adj**	conservative
construire	**v**	to build
le conte	**nm**	short story
contre	**prép**	against
convenable	**adj**	appropriate, suitable
convenir	**v**	to suit
convoité, convoitée	**adj**	desired
le copain	**nm**	buddy, friend
le corail	**nm**	coral
le costume de bain	**nm**	bathing suit
côté: mettre de l'argent de côté	**expr**	to save money
le côté; à côté de	**nm; prép**	side; beside
se coucher	**v**	to go to bed
le coucher du soleil	**nm**	sunset
le coup	**nm**	blow
coupable	**adj**	guilty
couper	**v**	to cut
le courant	**nm**	current
courir	**v**	to run
court, courte	**adj**	short
le couteau	**nm**	knife
coûter cher	**expr**	to be expensive
coûteux, coûteuse	**adj**	costly, expensive
la couturière	**nf**	designer, dressmaker
le couvent	**nm**	convent
couvrir	**v**	to cover
le covoiturage	**nm**	sharing a car, car pooling
crachiner	**v**	to drizzle
craindre	**v**	to fear
la crainte	**nf**	fear
crainte: de crainte que	**conj**	lest
créer	**v**	to create
le crépitement	**nm**	crackling
la crête	**nf**	mountain crest
creux, creuse	**adj**	hollow
crever	**v**	to burst, to die
crier	**v**	to shout
la crise	**nf**	crisis
les critères	**nmpl**	criteria
croire	**v**	to believe
la croisière	**nf**	cruise
cueillir	**v**	to pick
cuisiner	**v**	to cook
customisé, customisée	**adj**	custom-made

R.K. PUBLISHING / NON-REPRODUCIBLE

d

débourser	**v**	to disburse, to pay out
le, la débutant, débutante	**nmf**	beginner
décharger	**v**	to unload
déchirer	**v**	to tear
décorer	**v**	to decorate
découper	**v**	to cut out
découragé, découragée	**adj**	discouraged
décrocher	**v**	to unhook
déçu, déçue	**adj**	disappointed
défendre	**v**	to forbid
déguiser	**v**	to disguise
dehors	**adv**	outside
la délicatesse	**nf**	delicacy
démodé, démodée	**adj**	out of style
démontrer	**v**	to demonstrate
dénoncer	**v**	to denounce
la dent	**nf**	tooth
le dépit	**nm**	spite
déprimant, déprimante	**adj**	depressing
déranger	**v**	to bother, to disturb
le dernier cri	**nm**	the latest thing
désespéré, désespéré	**adj**	desparate
désherber	**v**	to weed
désobéir	**v**	to disobey
désolé, désolée	**adj**	sorry
le dessin	**nm**	design, drawing
le, la destinataire	**nmf**	person to whom a letter is written
détester	**v**	to hate
détourner	**v**	to lead astray
la détresse	**nf**	distress
détruire	**v**	to destroy
devenir	**v**	to become
se deviner	**v**	to make each other out
le diamant	**nm**	diamond
diaphane	**adj**	filmy
digne	**adj**	worthy
direct: en direct	**expr**	live
le, la directeur, directrice	**nmf**	principal
le discours	**nm**	speech, oration
discuté, discutée	**adj**	controversial
disponible	**adj**	available
la dispute	**nf**	argument
se disputer	**v**	to argue, to fight (verbally)
la dissertation	**nf**	essay
dissipé, dissipée	**adj**	badly-behaved
le doigt	**nm**	finger
le domaine	**nm**	field
le, la domestique	**nmf**	servant
dommage: C'est dommage	**expr**	It's a pity; It's too bad
dompter	**v**	to control, to tame
dormir	**v**	to sleep
le dortoir	**nm**	dormitory
le dos	**nm**	back
la dot	**nf**	dowry
doucement	**adv**	quietly
doué, douée	**adj**	gifted, talented
la douleur	**nf**	pain
douter	**v**	to doubt
doux, douce	**adj**	gentle
le duc	**nm**	duke
dur, dure	**adj**	hard, difficult

e

l' ébauche	**nf**	sketch
échanger	**v**	to exhange, to trade
s' échapper	**v**	to escape
l' échec	**nm**	failure
l' éclair	**nm**	a bolt of lightning
l' éclair de génie	**nm**	burst of genius
éclater	**v**	to burst (out)
écraser	**v**	to crush
l' écrivain, écrivaine	**nmf**	writer, author
s' écrouler	**v**	to collapse
l' écueil	**nm**	reef
effacer	**v**	to erase
effrayé, effrayée	**adj**	frightened
l' église	**nf**	church
l' élan	**nm**	spirit
l' éloignement	**nm**	estrangement
embrasser	**v**	to embrace, to kiss
l' émission	**nf**	program
émouvant, émouvante	**adj**	moving
emporter	**v**	to carry off
emprunter	**v**	to borrow
s' endormir	**v**	to fall asleep, to go to sleep
l' endroit	**nm**	place
l' enfance	**nf**	childhood
l' enfer	**nm**	hell
s' enflammer	**v**	to burst into flames
s' enfoncer	**v**	to sink
s' engager	**v**	to enlist
l' engouement	**nm**	passion
l' énigme	**nf**	riddle
enlever	**v**	to take away, to take off
l' ennemi	**nm**	enemy
ennuyeux, ennuyeuse	**adj**	boring
l' enseignant, enseignante	**nmf**	teacher
l' enseignement	**nm**	education
enseigner	**v**	to teach
ensuite	**adv**	next
entamer	**v**	to initiate
s' entendre avec quelqu'un	**v**	to get along with someone
l' enterrement	**nm**	burial
enterrer	**v**	to bury
entraîner	**v**	to train, to coach
l' entreprise	**nf**	business
envers	**prép**	towards
l' épée	**nf**	sword
éphémère	**adj**	non-permanent
l' époque	**nf**	time
l' épouse	**nf**	wife
l' épreuve	**nf**	test
éprouver	**v**	to feel
épuisé, épuisée	**adj**	exhausted
l' équipe	**nf**	team
l' équitation	**nf**	horseback riding
escalader	**v**	to climb
l' escrime	**nf**	fencing
l' espace	**nm**	space
espérer	**v**	to hope
l' esprit de corps	**nm**	team spirit
l' esquisse	**nf**	sketch
l' essai	**nm**	attempt
essayer	**v**	to try
établir	**v**	to establish
l' étage	**nm**	floor of a building

R.K. PUBLISHING / NON-REPRODUCIBLE

l' étape	nf	stage
l' état	nm	condition, state
éteindre	v	to extinguish, to put out
étinceler	v	to sparkle
l' étincelle	nf	spark
étouffant, étouffante	adj	stifling, suffocating
l' événement	nm	event
éviter	v	to avoid
évoquer	v	to evoke
exiger	v	to demand
exposer	v	to show
exprimer	v	to express
l' extase	nf	ecstacy
l' exutoire	nm	outlet

f

la face; faire face à	nf (pop); expr	face (Can); to face up to
la Faculté de Droit	nf	law school
la faiblesse	nf	weakness
le fait	nm	fact
la fausse couche	nf	miscarriage
faux, fausse	adj	false, fake
favori, favorite	adj	favorite
fébrile	adj	feverish
la ferme	nf	farm
la fermeture	nf	clasp
le feu	nm	fire
la feuille	nf	leaf
le feutre	nm	felt marker
le fiacre	nm	cab
se fier à	v	to trust
fier, fière	adj	proud
fiévreusement	adv	feverishly
figé, figée	adj	immobile; frozen in one spot
le fil barbelé	nm	barbed wire
la flamme	nf	flame
la fleurette	nf	little flower
le flocon	nm	flake
flotter	v	to float
la fois; une fois	nf	time; once
le fonctionnaire	nm	civil servant
le fond; au fond de; à fond	nm; prép; adv	bottom; at the bottom of; in depth
la formule	nf	form
la foudre	nf	lightning
la fraîcheur	nf	coolness
frapper	v	to hit
le frein	nm	brake
frissonner	v	to shudder
les frites	nfpl	fries
froid, froide	adj	cold
le front	nm	forehead
les funérailles	nfpl	funeral services
le fusil	nm	rifle

g

le gamin	nm	small child
garder des enfants	expr	to babysit
gâté, gâtée	adj	spoiled
gémir	v	to moan
le gendarme	nm	police officer (in the country and villages)
le génie	nm	genius
le genou	nm	knee
le, la géologue	nmf	geologist
le geste	nm	gesture
la glace	nf	mirror

le gouffre	nm	abyss
le goût	nm	taste
gouverner	v	to rule
grave	adj	serious
la gravité	nf	seriousness
grec, grecque	adj	Greek
greffer	v	to create graffiti
gris, grise	adj	grey
le grondement	nm	rumbling, growling
gros, grosse	adj	large
la grotte	nf	cavern
guérir	v	to cure
la guerre	nf	war

h

s' habiller	v	to dress, to get dressed
l' habitude	nf	habit
le haoussa	nm	language spoken in Niger
harceler	v	to harass
hasard: par hasard	expr	by chance
hâte: avoir hâte de	expr	to be in a hurry; impatient
hâtif, hâtive	adj	hasty
la hauteur	nf	height
le haut-parleur	nm	loudspeaker
l' hébergement	nm	lodging
l' herbe	nf	grass
herbe: l'artiste en herbe	expr	budding artist
l' hirondelle	nf	swallow
honte: avoir honte	expr	to be ashamed
l' horaire	nm	schedule, timetable
l' hôte	nm	host
les huiles	nfpl	oil paints
hurler	v	to yell
l' hypochondrie	nf	hypochondria

i

l' île	nf	island
l' immeuble	nm	apartment building
immortaliser	v	to immortalize
immuable	adj	unchanging
importun, importune	adj	troublesome
imprimer	v	to print
inattendu, inattendue	adj	unexpected
l' inconnu	nm	unknown
infliger	v	to inflict
ingénieux, ingénieuse	adj	clever, ingenious
inné, innée	adj	innate
innovateur, innovatrice	adj	innovative
inonder	v	to inundate
s' inquiéter	v	to worry
insensé, insensée	adj	insane
insensible	adj	insensitive
l' insomnie	nf	insomnia
instable	adj	unstable
installer	v	to put in
l' instituteur, institutrice	nmf	elementary school teacher
intégrer	v	to integrate
interdire	v	to forbid
interner	v	to confine
l' interrogatoire	nm	interrogation
interrompre	v	to interrupt
intimidé, intimidée	adj	intimidated
intrépidement	adv	bravely
l' invité, invitée	nmf	guest
l' invité, invitée d'honneur	nmf	guest of honour
l' itinéraire	nm	itinerary

R.K. PUBLISHING / NON-REPRODUCIBLE

j

jaloux, jalouse	adj	jealous
japonais, japonaise	adj	Japanese
le jardinier	nm	gardener
la jeunesse	nf	youth
le joaillier	nm	jeweller
la joie	nf	joy
la joue	nf	cheek
le jouet	nm	toy
le journal intime	nm	diary
juif, juive	adj	Jewish
jurer	v	to swear an oath
jusqu'à ce que	conj	until

l

le lac	nm	lake
laid, laide	adj	ugly
la langue	nf	language
le lapin	nm	rabbit
se lasser de	v	to tire of
laver	v	to wash
la lecture	nf	reading
léger, légère	adj	light, slight
légitime	adj	legitimate
le lendemain	nm	the next day
se lever	v	to get up
le levier	nm	lever
le lien	nm	link, tie
le lieu	nm	place
lieu: au lieu de	prép	instead of
le lit	nm	bed
le logement	nm	lodging
la loi	nf	law
loin	adv	far
la lueur	nf	glow
la lumière	nf	light
lutter	v	to struggle

m

maigrir	v	to grow thin
le maillot de bain	nm	bathing suit
la maison de publication	nf	publisher
le maître	nm	master
le maître d'hôtel	nm	butler
la maîtresse	nf	teacher; mistress
la maîtrise	nf	mastery
majestueux, majestueuse	adj	majestic
le mal	nm	evil
mal à l'aise	expr	uncomfortable
la maladie	nf	illness
la manchette	nf	headline
le manège	nm	ride in an amusement park
la manie	nf	passion
manquer	v	to lack
manquer à quelqu'un	expr	to miss (La chose manque à la personne.)
le manteau	nm	coat
se maquiller	v	to put on make-up
le marbre	nm	marble
les marchandises	nfpl	merchandise
marcher	v	to walk
le marin	nm	sailor

le marquage	nm	marking
marre: en avoir marre	expr	to be fed up
le marteau	nm	hammer
massif, massive	adj	solid
le mât	nm	mast
la matinée: faire la grasse matinée	expr	to sleep in
maussade	adj	gloomy
mauvais, mauvaise	adj	bad, wrong
méconnaissable	adj	unrecognizable
mélanger	v	to mix
la menace	nf	threat
le ménage	nm	housework
le mensonge	nm	lie
mentir	v	to lie
le mépris	nm	scorn
mériter	v	to deserve
le métier	nm	trade
mettre	v	to put
se mettre à	v	to begin
meugler	v	to moo
mieux: faire de son mieux	expr	to do one's best
mignon, mignonne	adj	adorable
le mil	nm	millet (plant grown for grain)
le milicien	nm	member of a militia
milieu: au milieu de	prép	in the middle of
mince	adj	thin
moins: à moins que	conj	unless
se moquer de	v	to make fun of
le morceau	nm	piece
mordre	v	to bite
morose	adj	sullen
mortellement	adv	fatally
le mot: le gros mot	nm	bad word
le mouchoir	nm	handkerchief
mouillé, mouillée	adj	wet, soaked
le mousquetaire	nm	musketeer
le mouton	nm	sheep
le mur	nm	wall
le musée	nm	museum

n

nager	v	to swim
la naissance	nf	birth
naître	v	to be born
natal, natale	adj	native
la natation	nf	swimming
le naufrage	nm	shipwreck
le navire	nm	ship
néanmoins	adv	nevertheless
le nénuphar	nm	water lily
nettoyer	v	to clean
la névrose	nf	neurosis
le nombre	nm	number
le notable	nm	an important person
la note	nf	mark
nourrir	v	to feed
la nourriture	nf	food
la nouveauté	nf	novelty
la nouvelle	nf	piece of news
nouvelles: avoir des nouvelles de	expr	to hear from
se noyer	v	to drown
nulle part	adv	nowhere

o

obéir	v	to obey
occupé, occupée	adj	busy
l' œuvre	nf	work of art
l' ombre	nf	shadow
l' orage	nm	thunderstorm
l' ordinateur	nm	computer
l' oreille	nf	ear
l' oreiller	nm	pillow
l' orgue	nm	organ
orné, ornée	adj	decorated, ornate
oser	v	to dare
oublier	v	to forget
l' ours en peluche	nm	teddy bear
l' outil	nm	tool

p

la paille	nf	straw
le pain	nm	bread
la paix	nf	peace
le palais	nm	palace
paraître	v	to seem
pareil, pareille	adj	similar
parfait, parfaite	adj	perfect
parfois	adv	sometimes
le parfum	nm	odor, perfume
parmi	prép	among
la parole	nf	word; lyric
partager	v	to share
partiel: à temps partiel	expr	part-time
partout	adv	everywhere
la parure	nf	a piece of jewellery
le passage clouté	nm	pedestrian crosswalk
passe: et j'en passe	expr	and so forth
le patron	nm	boss
la patronne	nf	patroness
le pays natal	nm	native land
le paysage	nm	landscape
le paysan	nm	peasant
la peau	nf	skin
peindre	v	to paint
la peine	nf	difficulty, grief
peine: à peine	adv	hardly
le peintre	nm	painter
la peinture	nf	painting
peinturer	v	to paint (a room, a piece of furniture)
la pénalité	nf	penalty
pendant que	conj	while
la pensée	nf	thought
le périple	nm	journey
persévérer	v	to persevere, not to give up
la perte	nf	loss
le, la Peul, Peule	nmf	member of an ethnic group in Niger
le piédestal	nm	pedestal
la pierre	nf	stone
le, la piéton, piétonne	nmf	pedestrian
le pin	nm	pine
le pinceau	nm	paint brush (artist)
le pire	nm	worst
la piscine	nf	swimming pool
la piste cyclable	nf	cycle path
la pitié	nf	pity

le placard	nm	closet, cupboard
place: sur place	expr	on the spot
se plaindre	v	to complain
plaire	v	to please
le plaisir: faire plaisir à	nm; expr	pleasure; to please
planifier	v	to plan
plastiques: les arts plastiques	nmpl	visual arts
plat, plat	adj (pop)	boring (Can)
plein de, pleine de	expr	full of; a lot (Can)
pleurer	v	to cry
le plombier	nm	plumber
la pluie	nf	rain
la plupart	nf	majority
le pochoir	nm	stencil
la poésie	nf	poetry
pointu, pointue	adj	pointed
le poisson	nm	fish
la polygamie	nf	social system where a man has more than one wife
le pont	nm	bridge
le porte-voix	nm	megaphone
le, la potier, potière	nmf	potter
la poupée	nf	doll
pourrir	v	to rot
poursuivre	v	to go on
pourtant	adv	however
pourvu que	conj	provided that
pousser	v	to push
la poussière	nf	dust
précéder	v	to go before
précis, précise	adj	precise, exact
prédire	v	to predict
la pression	nf	pressure
prêt, prête	adj	ready
prétendre	v	to claim
prêter	v	to lend
le prêtre	nm	priest
la preuve	nf	proof
prévoir	v	to foresee
prévu, prévue	adj	agreed upon
le prix	nm	prize
proche	adj	close
procurer	v	to obtain
le profil	nm	profile
se promener	v	to go for a walk
promettre	v	to promise
propos: à propos de	expr	speaking of that
propre	adj	own (before the noun)
le, la propriétaire	nmf	owner
la proximité	nf	closeness
le, la psychologue	nmf	psychologist
la publicité	nf	advertising
puisque	conj	since
la pulsion	nf	drive
pulvériser	v	to spray paint
la punition	nf	punishment

q

le quartier	nm	part of a town or city
quelque part	pron	somewhere
quelqu'un	pron	someone
la quête: en quête de	nf; prép	search; in search of
quitter	v	to leave
quoique	conj	although
quotidien, quotidienne	adj	daily, everyday

R.K. PUBLISHING / NON-REPRODUCIBLE

r

le radical	**nm**	stem of a verb
rallumer	**v**	to light something again
le rameau	**nm**	branch
le rang social	**nm**	social class
ranger	**v**	to clean, to straighten
le rapport	**nm**	relationship
se raser	**v**	to shave oneself
le, la raté, ratée	**nmf**	failure
ravi, ravie	**adj**	overjoyed
le rayon	**nm**	ray
réagir	**v**	to react
réaliser	**v**	to film
réaliser un rêve	**expr**	to make a dream come true
récemment	**adv**	recently
recevoir	**v**	to receive
réchauffer	**v**	to warm
le récit	**nm**	story
la reconnaissance	**nf**	recognition
reconnaître	**v**	to recognize
recouvrir	**v**	to cover
la récréation	**nf**	recess at school
redéfinir	**v**	to redefine
rédiger	**v**	to write, to edit
réfléchi, réfléchie	**adj**	thought-out
la reine	**nf**	queen
rejeter	**v**	to reject
se réjouir	**v**	to rejoice
la religieuse	**nf**	nun
relire	**v**	to reread
remarquer	**v**	to notice
remplacer	**v**	to replace
remplir	**v**	to fill
remporter un prix	**expr**	to win a prize
la rencontre	**nf**	meeting
se rendre compte de	**v**	to realize
le renom	**nm**	fame
renommé, renommée	**adj**	well-known
renouveler	**v**	to restore
la rentrée	**nf**	return to school in the fall
renvoyer	**v**	to send away
se répandre	**v**	to spread
réparer	**v**	to repair
répéter	**v**	to rehearse
le représentant	**nm**	representative
répudier	**v**	to disown
ressentir	**v**	to feel
la ressource	**nf**	resource
retourner	**v**	to go back
rétracté, rétractée	**adj**	silent
la réunion	**nf**	meeting
réussir	**v**	to succeed
se réveiller	**v**	to wake up
révéler	**v**	to reveal
revenir	**v**	to come back
rêver	**v**	to dream
la revue	**nf**	magazine
le rideau	**nm**	curtain
ridiculiser	**v**	to mock
rigoler	**v**	to have fun
rigolo	**adj (pop)**	fun
le rire	**nm**	laugh
la rivière de diamants	**nf**	diamond necklace
le roman	**nm**	novel
rompre	**v**	to break
la rondelle d'oignon	**nf**	onion ring
ronronner	**v**	to purr
la rupture	**nf**	break-up

s

la S.N.C.F.	**nf**	French railway
saccadé, saccadée	**adj**	spasmodic
sacrifier	**v**	to sacrifice
sage	**adj**	well-behaved
sainement	**adv**	healthily
saisir	**v**	to seize
le salon	**nm**	living room
le Salon	**nm**	exhibition of new paintings (19th century Paris)
la salutation	**nf**	closing of a letter
le sang	**nm**	blood
sanglant, sanglante	**adj**	bleeding
le sanglot	**nm**	sob
la santé	**nf**	health
sauf	**prép**	except
les sautes d'humeur	**nf**	mood changes
sauter	**v**	to jump, to leap
se sauver	**v**	to run away
le, la scientifique	**nmf**	scientist
scolariser	**v**	to educate
secouer	**v**	to shake up
le Seigneur	**nm**	God
seizième	**adj**	sixteenth
le séjour	**nm**	sojourn, stay
selon	**prép**	according to
les sens	**nmpl**	senses
le sentiment	**nm**	feeling
se sentir	**v**	to feel
le serment	**nm**	oath, sermon
serrer la main à	**expr**	to shake hands
se servir de	**v**	to use
servir de	**v**	to serve as
le serviteur	**nm**	servant
le siècle	**nm**	century
le siège	**nm**	seat
la situation	**nf**	location
le slip	**nm**	bathing suit (male)
le sobriquet	**nm**	nickname
soigneusement	**adv**	carefully
le soin	**nm**	care
le soldat	**nm**	soldier
solennellement	**adv**	solemnly
sombre	**adj**	dark
sombrer	**v**	to sink
le sommet	**nm**	top
le son	**nm**	sound
soudain	**adv**	suddenly
souffler	**v**	to blow
souffrir (pp: souffert)	**v**	to suffer
le souhait	**nm**	desire
soulagé, soulagée	**adj**	relieved
le sourire	**nm**	smile
soutenir	**v**	to support
se souvenir de	**v**	to remember
le spectacle	**nm**	show
stimulant, stimulante	**adj**	stimulating
la strophe	**nf**	verse of a poem
suffire	**v**	to be enough
suggérer	**v**	to suggest
suivre; suivre un cours	**v; expr**	to follow; to take a course
supporter	**v**	to put up with

R.K. PUBLISHING / NON-REPRODUCIBLE

supprimer	**v**	to suppress
sûr, sûre	**adj**	certain, sure
surchargé, surchargée	**adj**	very busy, overloaded
surtout	**adv**	especially
surveillé, surveillée	**adj**	supervised, watched
survivre	**v**	to survive
susciter	**v**	to arouse

t

le tableau	**nm**	chart; painting
la tâche	**nf**	task
taguer	**v**	to tag
tailler	**v**	to cut (stone)
se taire	**v**	to be quiet, to say nothing
tandis que	**conj**	while on the other hand
tannant, tannante	**adj (pop)**	boring (Can)
tant de	**adv**	so much, so very
le tapis	**nm**	rug
taquiner	**v**	to tease
tarder	**v**	to delay
tellement	**adv**	so much, so very
la tempête	**nf**	storm
la tendance	**nf**	tendency
ténébreux, ténébreuse	**adj**	dark, gloomy
la tentation	**nf**	temptation
tenter	**v**	to try; to tempt
la tenue d'amazone	**nf**	riding clothes
la terminaison	**nf**	ending
se terminer	**v**	to finish
le thym	**nm**	thyme
le timbre	**nm**	stamp
tinter	**v**	to tinkle
tirer	**v**	to shoot
le tissu	**nm**	cloth
le titre	**nm**	title
la toile	**nf**	canvas, painting
la toilette	**nf**	outfit
tolérer	**v**	to put up with, to stand
le tombeau	**nm**	tomb
tomber	**v**	to fall
le ton	**nm**	tone
tôt	**adv**	early
le, la Touareg	**nmf**	member of a nomadic group in the Sahara
tourmenter	**v**	to torture
tousser	**v**	to cough
tout à coup	**adv**	suddenly
trait: avoir trait à	**expr**	to deal with
le traitre	**nm**	traitor
tranquillement	**adv**	peacefully
transformer	**v**	to change
transmettre	**v**	to transmit
travailleur, travailleuse	**adj**	hard-working
le trésor	**nm**	treasure

le tribunal	**nm**	law court
se tromper	**v**	to make a mistake
trompeur, trompeuse	**adj**	deceitful
le trône	**nm**	throne
le trottoir	**nm**	sidewalk
se trouver	**v**	to be located
turbulent, turbulente	**adj**	unruly
le type	**nm (pop)**	guy
le tyran	**nm**	tyrant

u

urbain, urbaine	**adj**	urban

v

les vacances	**nfpl**	holidays
la vache	**nf**	cow
la vague	**nf**	wave
la vaillance	**nf**	courage
vaincre	**v**	to defeat
le vaisseau	**nm**	vessel, ship
le valet	**nm**	manservant
la valeur	**nf**	value
le vaurien	**nm**	good-for-nothing
la veille	**nf**	the night before
le vent	**nm**	wind
la vente aux enchères	**nf**	auction
la vérité	**nf**	truth
le vers	**nm**	poem, verse of poetry
verser	**v**	to pour
la vertu	**nf**	virtue
le veston	**nm**	jacket
vêtu, vêtue	**adj**	dressed
vexé, vexée	**adj**	angry
la viande	**nf**	meat
vibrer	**v**	to vibrate
vieux, vieil, vieille	**adj**	old
vif, vive	**adj**	lively
violer	**v**	to violate, to break (law)
virevolter	**v**	to spin
le visage	**nm**	face
la vitesse; à toute vitesse	**nf; expr**	speed; at top speed
le vitrail	**nm**	stained glass window
vivant, vivante	**adj**	living
la voie	**nf**	route
le, la voisin, voisine	**nmf**	neighbour
la voix	**nf**	voice
le vol	**nm**	theft; flight
voler	**v**	to steal
le volet	**nm**	part
la volonté	**nf**	will

w

le wagon	**nm**	train car

R.K. PUBLISHING / NON-REPRODUCIBLE